COLLECTION FOLIO

Santiago H. Amigorena

Le ghetto intérieur

P.O.L

Né à Buenos Aires en 1962, Santiago H. Amigorena est un réalisateur, scénariste, producteur et écrivain argentin. Il vit en France et publie en 1998 son premier livre, *Une enfance laconique*, aux Éditions P.O.L. Depuis vingt-cinq ans, il écrit un projet littéraire autobiographique intitulé *Le dernier livre*. *Le ghetto intérieur*, paru en 2019, a rencontré un très grand succès critique et a été récompensé par plusieurs prix littéraires.

Il y a vingt-cinq ans, j'ai commencé à écrire un livre pour combattre le silence qui m'étouffe depuis que je suis né. De ce livre, constitué de six parties, ont été publiés la première, Une enfance laconique *; le second chapitre de la deuxième,* Une jeunesse aphone *; la troisième,* Une adolescence taciturne, *composée de deux chapitres publiés séparément,* Le Second Exil *et* Les Premières Fois *; la quatrième,* Une maturité coite, *également publiée en deux volumes séparés,* Le Premier Amour *et* La Première Défaite *; et trois annexes (*1978 *;* 2003, *parue sous le titre* Des jours que je n'ai pas oubliés *; et* 2086, *parue sous le titre* Mes derniers mots*). Les quelques pages que vous tenez entre vos mains sont à l'origine de ce projet littéraire.*

À Mopi, qui l'a écrit avant moi

À Marion qui l'écrit avec moi

« Réagir de façon adéquate à l'incommensurable était impossible. Et celui qui exige cela des victimes devrait exiger du poisson jeté sur la rive qu'il se dépêche de se faire pousser des jambes pour retourner à petits pas dans son élément humide. »

Günther Anders
Nous, fils d'Eichmann

Le 13 septembre 1940, à Buenos Aires, l'après-midi était pluvieuse et la guerre en Europe si loin qu'on pouvait se croire encore en temps de paix. L'avenida de Mayo, cette grande artère bordée d'immeubles Art nouveau qui sépare la Présidence du Congrès, était presque vide ; seuls quelques hommes pressés, quittant leurs bureaux du centre-ville un journal au-dessus de la tête pour conjurer les gouttes, couraient sous la pluie pour attraper un bus ou un taxi et rentrer à la maison. Parmi ces passants furtifs, un homme âgé de trente-huit ans, Vicente Rosenberg, protégé par son chapeau, avançait d'un pas posé mais irréfléchi vers la porte du Tortoni, un café à la mode où l'on pouvait, en ce temps-là, croiser aussi bien Jorge Luis Borges et des gloires du tango que des réfugiés européens comme Ortega y Gasset, Roger Caillois ou Arthur Rubinstein. Vicente était un jeune Juif. Ou un jeune Polonais. Ou un jeune Argentin. En fait, le 13 septembre 1940, Vicente Rosenberg ne savait pas encore au juste ce qu'il était. En entrant dans le café, il n'avait pas tardé à remarquer, attablé à l'un de ces petits guéridons qui longeaient le mur situé en face du comptoir, la silhouette massive d'Ariel Edelsohn, son meilleur ami. Les coudes et un café sur le marbre de la table, il attendait Vicente en lisant le journal non loin des billards de l'arrière-salle. À ses côtés, tourné vers le fond du local pour surveiller les suites de caramboles, nerveux comme d'habitude, se tenait Sammy Grunfeld, un jeune homme qui traînait souvent avec eux. Après leur avoir serré la main, Vicente avait secoué son pardessus pour le soulager des dernières gouttes qui tentaient d'imbiber la laine épaisse puis s'était assis auprès de ses amis en penchant la tête pour lire les titres qui faisaient la une du journal : en Europe, la bataille d'Angleterre faisait rage et les nazis commençaient d'enfermer les Juifs dans des ghettos. Ariel, que ses amis argentins appelaient « L'Ours », avait plié le journal en poussant un lourd soupir.

— Les Juifs me font chier. Ils m'ont toujours fait chier. C'est lorsque j'ai compris que ma mère allait devenir aussi juive et chiante que la sienne que j'ai décidé de partir.

— Comparée à la mienne, ta mère n'est pas si chiante, lui avait répondu Sammy, un œil toujours rivé sur les tables de billard.

Un peu gêné, Ariel avait jeté un regard à Vicente, mais comme celui-ci avait l'air de penser à autre chose, il avait continué de parler avec Sammy qui leur tournait à moitié le dos :

— Le pire, c'est que quand elle avait vingt

ans, elle rêvait d'une seule chose : quitter le shtetl pour aller vivre en ville. Elle trouvait ma grand-mère chiante pour les mêmes raisons que moi, je la trouve chiante aujourd'hui…

— Et pourtant, chiante ou pas chiante, tu lui as fait traverser l'Atlantique pour l'avoir à tes côtés.

— Oui… même les pires choses nous manquent.

Amusé par le ton solennel d'Ariel, Sammy avait émis un éclat de rire bref et bruyant comme un claquement de doigts. De son côté, un rien renfrogné, Vicente gardait le silence. Depuis quelques mois déjà, il n'avait aucune envie de discuter de ce qui se passait en Europe.

— Qu'est-ce que tu as, Wincenty ? C'est le beau temps qui te met de mauvaise humeur ?

Vicente s'était tourné vers Ariel, un petit sourire au coin des lèvres : de tous les gens qu'il connaissait à Buenos Aires, Ariel, qu'il avait rencontré à Varsovie lorsqu'ils avaient dix-huit ans comme ils venaient de s'enrôler dans l'armée, était le seul qui l'appelait encore Wincenty.

— Ma mère aussi, c'est parce qu'elle ne supportait pas ses parents qu'elle nous a fait quitter Chełm quand j'étais petit.

Vicente avait dit ces mots du bout des lèvres, et Sammy, que Vicente et Ariel avaient connu pendant le trajet en bateau de Bordeaux à Buenos Aires en 1928, et qui, dans cette ville alors insaisissable, s'était accroché à eux comme à une bouée de sauvetage, avait tenté de tirer la conclusion de cette discussion désinvolte :

— C'est ce qu'on fait depuis la nuit des temps, non ? On aime nos parents, puis on les trouve chiants, puis on part ailleurs… C'est peut-être ça être juif…

— Oui… ou être humain.

Après un temps bien plus long que ne le demandaient ces mots sentencieux jetés sur la table comme des oiseaux morts, Ariel s'était de nouveau tourné vers Vicente.

— Tu as eu des nouvelles ?

— Non, la dernière lettre c'était il y a déjà trois mois. Je ne sais même pas si elle a reçu les dix dollars que je lui ai envoyés en juin.

— J'ai parlé avec Jacob, qui a reçu un télégramme de son cousin qui a réussi à partir aux États-Unis : il paraît qu'à Varsovie, on ne trouve même plus de timbres…

Pour ne pas inquiéter ses amis, Vicente s'était efforcé d'esquisser un minuscule sourire puis s'était levé pour aller aux toilettes. Ce n'était pas tant qu'il avait envie d'uriner, mais il avait du mal, depuis quelque temps, à participer à ces discussions sans fin qui, partant de leur passé ou de leurs familles, entraînaient toujours ses amis sur ce terrain glissant et politique qui concernait l'évolution de la situation en Europe.

Pendant que Sammy et Ariel avaient continué d'échanger des propos sur la guerre, Vicente, dans les vastes toilettes du Tortoni, s'était lavé les mains lentement avant de lever les yeux pour contempler brièvement son reflet dans le miroir.

Ses traits étaient délicats, presque aériens. Ses lèvres, ses sourcils, son petit nez, sa fine moustache (qu'il faisait tailler, quels que fussent ses revers de fortune, deux fois par semaine chez le meilleur barbier de Buenos Aires) semblaient avoir été dessinés par un calligraphe chinois avec un pinceau si subtil qu'ils étaient comme évanescents. Lorsqu'on se souvenait de son visage, d'ailleurs, ce n'était pas l'ampleur de son front ou la saillance de ses pommettes, pas plus que le vert de ses yeux ou la rousseur de ses cheveux qui revenaient en mémoire : c'était seulement une sensation diffuse, comme une brume légère où un humour piquant alternait avec une tendre mélancolie.

Après s'être séché les mains, Vicente avait quitté l'univers glacé de marbre et de carrelage blanc des toilettes pour revenir dans l'univers ocre et feutré de la grande salle du café. Il s'était rassis à côté de ses amis et les avait regardés avec affection – et avec une pointe de jalousie aussi : à la différence de Vicente, dont la mère et le frère étaient encore en Pologne, Sammy avait fui le Vieux Continent avec toute sa famille et Ariel avait réussi, trois ans plus tôt, en 1937, à convaincre ses parents et sa sœur de venir le rejoindre à Buenos Aires.

— … malgré leur fameuse ligne Maginot, les Français ont établi un nouveau record du monde de la défaite la plus rapide.

— Après nous quand même !

— Vous, c'est différent : tout le monde sait que les Polonais n'ont jamais vraiment voulu combattre.

— C'est vrai que vous, les Russes, combattre, vous adorez ça... surtout entre vous !

Sammy avait soupiré, agacé. Mais Ariel lui avait mis la main sur l'épaule, comme un grand frère, et la dispute s'était arrêtée là.

— En tout cas, notre gouvernement aurait mieux fait de s'installer ailleurs qu'à Londres. Il paraît qu'il y pleut des bombes comme des cordes... Qu'est-ce que t'en penses, Wincenty ?

Comme Vicente tardait à répondre, Sammy l'avait fait à sa place :

— Londres... Paris... Varsovie... On a quand même de la chance d'être ici, non ?

Pour dissimuler son tourment, Vicente avait jeté un coup d'œil vers l'extérieur, faisant semblant de vérifier s'il pleuvait encore. Ariel en avait profité pour faire une grimace à Sammy, lui rappelant que la mère de Vicente était encore en Pologne, et Sammy s'était mordu la lèvre pour montrer qu'il avait compris sa bourde. Et il y avait eu, autour de la petite table, une pause embarrassée. Puis, rapidement, pour soulager son ami d'adolescence, Ariel avait tenté de détourner la discussion en demandant des nouvelles du magasin de meubles que Vicente venait d'ouvrir ; et pour réconforter à son tour Ariel, Vicente avait tenté de répondre à sa question ; et Sammy, pour essayer de détendre définitivement la lourde atmosphère, avait fait une blague sur le goût des Argentins pour les meubles rustiques. Mais malgré tous leurs efforts, un silence lourd, glacial, avait déferlé sur eux, s'engouffrant entre les regards, entre les esquisses de sourire, bien avant qu'ils n'eussent cessé de parler.

Les trois amis avaient fini leurs cafés, puis ils avaient bu un gin, puis un autre, puis ils avaient décroché et enfilé leurs manteaux, et ils étaient sortis du Tortoni. Sur le trottoir, ils avaient traîné encore un peu, échangeant quelques mots inoffensifs protégés par l'auvent. Vicente avait allumé une Commander tandis que Sammy trépignait d'impatience et qu'Ariel étirait son immense carcasse d'ours en poussant un petit cri de satisfaction : les jours étaient sombres mais la semaine était finie et il était décidément de bonne humeur.

— Bon... Tu viens avec nous alors ? On est vendredi 13, quand même !

Voulant entraîner son ami d'adolescence dans l'excitation du week-end à venir, Ariel avait proposé à Vicente de les accompagner à l'hippodrome de Palermo. Mais Vicente avait décliné l'invitation. Il aimait parier sur les chevaux, et, en même temps, il était fatigué et avait envie de rentrer à la maison. Ariel n'avait pas insisté : des trois amis, Vicente était le seul à avoir des enfants, et il fallait bien que parfois ils le laissent rentrer tranquillement chez lui.

Ariel avait serré Vicente dans ses bras, et

Sammy lui avait serré la main, et ils l'avaient laissé finir sa cigarette seul sous l'auvent. Après avoir jeté son mégot au loin, Vicente avait levé les yeux vers le ciel. Comme la pluie semblait vouloir s'arrêter, il était parti à pied en direction de l'appartement de la rue Paraná où il avait déménagé avec Rosita et les enfants. C'était un petit trois-pièces situé au quatrième étage d'un immeuble ancien et à une centaine de mètres du magasin de meubles qu'il venait d'ouvrir. Il était à peine huit heures et demie et Vicente avait éprouvé, en traversant le hall d'entrée, une sorte de joie tranquille à l'idée de revenir à la maison, comme s'il sentait, avec une force nouvelle, que ce petit appartement modeste, où ils avaient déménagé seulement quelques semaines auparavant pour habiter plus près du magasin, était déjà, et pour toujours, sa véritable demeure. « Est-ce que tu as déjà un chez-toi ? Est-ce que tu manges à la maison ? Et comment fais-tu pour le ménage ? Raconte-moi tout, mon chéri. Je meurs de n'avoir pas de tes nouvelles… » Ces mots d'une lettre ancienne envoyée par sa mère à l'époque où elle lui écrivait encore à la poste restante de Buenos Aires lui étaient brusquement revenus en mémoire alors qu'il montait l'escalier. « Oui, maintenant, enfin, je peux dire que j'ai un foyer », lui avait-il répondu dans sa tête en songeant aux nombreux reproches qu'elle lui avait adressés pendant des années parce qu'il ne lui donnait pas suffisamment de nouvelles. « Je t'en prie beaucoup, Wincenty chéri, écris, écris, réponds-moi tout de suite. » « De nouveau je n'ai pas de nouvelles de toi. Cela me chagrine infiniment. » « Je t'en supplie, écris-moi quelques mots. Est-ce que cela t'est si difficile d'écrire quelques mots à ta mère ? » « J'implore quelques mots. Je désire tellement te revoir. Tant que je vis, c'est mon unique rêve. » « Je t'en supplie, Wincenty, écris quelques mots. Quel désespoir pour une mère de n'avoir pas de nouvelles de son enfant ! » « Mais comment est-il possible d'oublier totalement sa mère ? » Lorsqu'il était parti de Varsovie, sa mère lui avait fait jurer qu'il lui écrirait une fois par semaine. Mais alors qu'elle, elle n'avait jamais cessé, jusqu'en 1938, de lui envoyer plusieurs lettres par mois, Vicente n'avait tenu sa promesse que pendant la première année qui avait suivi son arrivée à Buenos Aires. 1929, 1930, 1931. Les années passaient et Vicente, à chaque fois qu'il recevait une lettre, maudissait les reproches de sa mère. 1932, 1933, 1934. Puis ces mêmes reproches avaient commencé de l'amuser et, avec Ariel, il s'en était parfois moqué. 1935, 1936, 1937. Puis il les avait reçus avec indifférence. 1938, 1939, 1940. Dire que maintenant, depuis trois ans déjà, c'est lui qui s'inquiétait de n'avoir pas assez de nouvelles de sa mère...

Dès qu'il avait franchi la porte de l'appartement, comme si elles avaient souhaité confirmer ce sentiment apaisant que leur père avait éprouvé en entrant dans l'immeuble, Martha et Ercilia, les deux filles de Vicente, âgées de quatre et six ans, avaient couru pour lui sauter dans les bras.

— Bonsoir, mon capitaine !

— Maman, maman ! Le capitaine est là !

Rosita, installée sur un tout nouveau modèle de fauteuil à bascule fabriqué par son père, lisait une histoire à Juan José, leur fils, qui était encore un gros bébé. Après avoir levé le regard pour sourire à son mari, elle était paisiblement revenue à la page du livre de Horacio Quiroga. Et c'est Vicente qui s'était approché dans son dos pour l'entourer de ses bras et l'embrasser dans le cou. Rosita avait posé sa main sur la sienne et l'avait serrée fort contre son épaule – tout en serrant aussi fort son fils contre son cœur.

— Travaillez... Travaillez en pensant que le but auquel tendent nos efforts – le bonheur de tous – est bien supérieur à la fatigue de chacun. C'est ça que les hommes appellent « idéal », et ils ont raison. Il n'y a pas d'autre philosophie dans la vie d'un homme, ou d'une abeille.

Rosita avait fini de lire le petit conte pour enfants de Quiroga et s'était levée. Elle avait posé son fils sur le tapis, et elle avait dit à sa fille aînée de finir sa page d'écriture, et à sa fille cadette de jouer un peu avec son petit frère, et elle était partie préparer le dîner dans la petite cuisine. À l'inverse de son mari, Rosita avait des traits un peu grossiers, un peu relâchés – mais si bienveillants. Son regard et son sourire débordaient d'une douceur agreste, boueuse, humide comme une terre généreuse. Rondouillette, elle possédait cette beauté si dénigrée de nos jours qu'on a tant appréciée de la Renaissance au XIXe siècle : celle que seules détiennent les femmes un peu fortes, aux épaules tombantes, aux petits seins, à la peau laiteuse. Comme Vicente l'avait dit à Ariel, emporté par une fougue lyrique le lendemain du jour où il l'avait vue pour la première fois, « son regard était si tendre que ses taches de rousseur avaient toujours l'air d'être des larmes de joie qui flottaient sur ses joues ». Rosita et Vicente étaient très différents, mais il y avait une chose en quoi ils se ressemblaient terriblement : une incertaine fragilité, pâle et silencieuse, qui trahissait le fait d'avoir été beaucoup aimés lorsqu'ils étaient enfants. Cette ressemblance faisait d'eux un couple amoureux et fraternel à la fois. D'ailleurs, lorsque León, le frère aîné de Rosita, rencontré dans une milonga louche du quartier louche de Pompeya, l'avait invité à la confitería Ideál, un salon de thé chic, pour lui présenter sa sœur, Vicente l'avait aimée très vite d'un amour si simple et si fort – c'est-à-dire si pur – qu'il n'avait jamais douté que tout, puisque quelques mois plus tard son père lui avait accordé sa main, serait toujours facile et heureux à ses côtés.

Au tout début pourtant, Pini Szapire, le père de Rosita, n'avait pas vu d'un bon œil ce prétendant polonais arrivé depuis peu à Buenos Aires. « Il est trop bien habillé pour être honnête », voilà ce qu'il avait dit à sa femme le soir de ce dimanche torride où Vicente avait fait sa première visite à la maison familiale qui jouxtait la fabrique de meubles en bois que Pini Szapire avait fondée trente ans plus tôt, à peine installé en Argentine. Mais le désir de se marier de Rosita, sa fille préférée, l'avait emporté sur ses réserves. Vicente, du reste, avait à peine remarqué la pointe de dédain avec lequel son futur beau-père l'avait traité dans un premier temps. Très jeune officier de l'armée polonaise, il n'avait jamais fini les études de droit qu'il avait commencées à l'Université de Varsovie mais il était arrivé à Buenos Aires avec, déjà, malgré sa pauvreté, un sentiment de supériorité qui lui permettait de jouer au dandy avec la plus grande aisance. Les grands-parents de Vicente avaient quitté le shtetl pour Chełm et ses parents avaient quitté Chełm (où son père avait fait fortune en tant que commerçant de bois précieux) pour Varsovie lorsqu'il avait douze ans. Être né dans une famille aisée et avoir grandi dans la capitale lui avait fait perdre ce complexe d'infériorité qu'il méprisait chez la plupart des enfants du peuple élu et lui avait donné le courage, à dix-huit ans, peu après la mort de son père, de s'enrôler dans l'armée polonaise où il avait rencontré Ariel et où il n'avait pas tardé à passer du grade de simple soldat à celui de très jeune officier.

Au sortir de la Première Guerre mondiale, la Pologne était à peine un pays. Il y avait cinq monnaies différentes, neuf systèmes juridiques, et les multiples disputes frontalières avaient toutes dégénéré en petites guerres : la guerre polono-ukrainienne, la guerre polono-lituanienne et la guerre polono-tchécoslovaque. Comme l'avait prévu Churchill, à peine la guerre des géants s'était achevée, celles des Pygmées avaient commencé. Dans un premier temps, le maréchal Piłsudski, dont Vicente était un fervent admirateur, avait supposé que la Pologne s'en sortirait mieux avec les bolcheviques qu'avec un Empire russe restauré et, en ignorant les pressions que l'Entente cordiale avait exercées sur lui afin qu'il rejoigne l'offensive contre l'Union soviétique, Piłsudski avait sans doute sauvé, en 1919, le gouvernement de Lénine. Mais très vite il avait retourné sa veste et fait alliance avec l'Ukraine pour combattre ces mêmes Soviétiques. Et c'est ainsi qu'en 1920, alors que comme général lors de la Première Guerre mondiale il avait conduit ses légions à la dissolution, alors qu'en France et en Angleterre on le considérait comme un allié peu fiable qui mènerait la Pologne à la destruction et qu'en Russie il était vu comme un serviteur des Alliés qui apporterait l'impérialisme et la ruine, alors que tous s'accordaient sur le fait que sa carrière catastrophique serait couronnée par l'effondrement de la Pologne, Piłsudski, par la stratégie peu conventionnelle de la bataille de Varsovie, avait mis un terme à la progression soviétique. Le plan de Piłsudski, en fait, semblait si naïf, si amateur, que les officiers supérieurs et les experts de sa propre armée avaient pointé son manque d'éducation militaire. Et lorsqu'une copie de ce plan était tombée entre des mains soviétiques, le général Toukhatchevski lui-même avait pensé qu'il s'agissait d'un leurre et l'avait ignoré. À l'aube du 15 août 1920, l'armée du maréchal – et désormais père de la patrie – Josef Piłsudski avait trouvé une fissure dans le déploiement russe, s'était infiltrée entre ses lignes, avait brisé son front et tué par milliers. L'avancée soviétique s'était arrêtée – jamais elle ne reprendrait. Ce qu'on appellerait plus tard « le miracle de la Vistule » venait d'avoir lieu.

Les Soviétiques avaient payé amèrement cette erreur : ce matin-là, l'Armée rouge avait subi l'une des plus graves défaites de son histoire – et Piłsudski, par mégarde si l'on peut dire, était devenu, aux côtés d'Alexandre le Grand, Jules César, Frédéric II, Nelson et Napoléon, un grand génie militaire. L'on dit même qu'un jeune officier de la Mission française en Pologne, Charles de Gaulle, a adopté par la suite certaines leçons tirées de la guerre soviéto-polonaise et de la carrière de ce politicien fantasque...

C'est à cette dernière guerre qu'avait participé Vicente. Depuis qu'il était arrivé en Argentine, pour simplifier le récit de ses aventures passées, il disait seulement qu'il avait aidé Piłsudski à libérer la Pologne. Il adorait raconter, surtout à Ercilia, sa « grande fille », pour la faire rire, qu'alors qu'il venait d'être nommé capitaine et que la guerre était sur le point d'être perdue, il avait pris la poudre d'escampette – et que la seule médaille militaire qu'il avait jamais obtenue, c'était grâce au fait qu'il était, des milliers de soldats qui étaient partis en courant, celui qui courait le plus vite. Pourquoi Vicente Rosenberg préférait-il déprécier ses exploits plutôt que de s'en vanter ? Et pour quelles raisons n'avait-il pas voulu poursuivre sa carrière d'officier et gravir les échelons de la hiérarchie militaire ? Lui-même avait du mal à le dire. Ni le champ de bataille ni Piłsudski, le héros de sa jeunesse, n'avaient comblé les espoirs qui couvaient dans son cœur adolescent. Et à la fin de la guerre, vainqueur, il était retourné à Varsovie défait.

Gustawa Goldwag, sa mère, l'avait aussitôt convaincu de s'inscrire en droit à l'université. Bernard, son fils aîné, que tous appelaient Berl, finissait ses études de médecine, et Gustawa, en bonne mère juive, rêvait d'un fils médecin et d'un autre fils avocat. Mais Vicente, lui, rêvait d'un autre horizon, d'un horizon plus lointain et plus vaste que celui qu'offrait ce vieux continent que menaçait déjà le malheur. Et puis, lui qui aimait tant plaisanter sur les Juifs restés dans les shtetlech, bien que parfois il se sentît lui-même antisémite, supportait mal l'antisémitisme de ses compatriotes polonais. Comment tolérer que des jeunes étudiants insouciants, parce qu'ils étaient polonais de souche, puissent se moquer de lui qui, aux côtés du maréchal Piłsudski, avait combattu pour libérer leur patrie ? Vicente se souvenait de son enfance à Chełm. Il se souvenait des moqueries qu'il avait subies à l'école lorsque la maîtresse avait demandé aux élèves de raconter leurs vacances d'été en quelques lignes et qu'il avait rendu sa copie en yiddish au lieu de le faire en polonais. À l'époque, il maîtrisait parfaitement les deux langues, mais il ne savait pas encore si, à l'école, il lui fallait utiliser l'une ou l'autre. Et lorsqu'il était rentré à la maison en larmes, même Berl, son grand frère, et Rachel, sa grande sœur, s'étaient moqués de sa méprise. Vicente se souvenait aussi de la rue où ils avaient vécu, il se souvenait de leurs voisins, il se souvenait de son quartier de Chełm où tout le monde parlait yiddish, et il se souvenait que lui aussi parlait cette langue qui, à Buenos Aires, peu à peu, lui était devenue étrangère. Vicente se souvenait même de ce sentiment singulier qu'il avait éprouvé quelques années plus tard, après qu'ils étaient arrivés à Varsovie, lorsqu'ils avaient reçu la visite de ces cousins qui vivaient à Hrubieszów et qui portaient la kippa et des tresses et qui s'habillaient encore tout en noir : le sentiment que non seulement lui-même mais aussi son grand frère, sa grande sœur, et même sa mère, avaient cessé d'être juifs. Depuis, malgré ces souvenirs, ce sentiment n'avait fait que se renforcer. « Qu'est-ce qui nous fait sentir une chose plutôt qu'une autre ? Qu'est-ce qui fait que parfois nous disons que nous sommes juifs, argentins,

polonais, français, anglais, avocats, médecins, professeurs, chanteurs de tango ou joueurs de football ? Qu'est-ce qui fait que parfois nous parlons de nous-mêmes en étant si certains que nous ne sommes qu'une seule chose, une chose simple, figée, immuable, une chose que nous pouvons connaître et définir par un seul mot ? »
Depuis qu'il était parti de Pologne, comme tant d'exilés, Vicente se posait souvent ces questions. Et s'il trouvait parfois des réponses à ce problème – beaucoup de réponses, trop de réponses ! –, jamais il n'arrivait à regarder l'une d'elles comme une véritable solution. Vicente avait commencé de sentir une admiration sans bornes pour Piłsudski alors qu'il était âgé de quinze ans et que son père venait de mourir d'un infarctus. Et sans doute s'était-il enrôlé dans l'armée pour affirmer qu'il était plus polonais que juif, ou plus polonais que communiste, comme ce fiancé de sa sœur qu'il détestait. Et peut-être avait-il rêvé à ce moment-là, au sortir de la Première Guerre mondiale, comme tant d'autres jeunes lycéens polonais, d'une Pologne forte et libre. Peut-être aussi, lorsque Vicente avait décidé de quitter la Pologne, c'était parce qu'il s'était senti trahi par Piłsudski, ce père d'adoption, ce héros de toute une génération qui, soudain, avait décidé de se retirer de la vie politique. Ou peut-être était-ce dû aux insultes antisémites reçues à l'université. Ou peut-être encore voulait-il quitter l'Europe pour fuir la misère qui guettait le continent tout

entier ou mû par le désir de découvrir l'Amérique. Peut-être, plus simplement, était-il parti de Varsovie comme on partait à l'époque, en pensant qu'il ferait fortune à l'étranger et qu'il reviendrait, qu'il reviendrait et qu'il reverrait sa mère, sa sœur, son frère. Peut-être, en partant, n'avait-il jamais songé qu'il ne reviendrait pas, qu'il ne les reverrait jamais.

Quoi qu'il en fût, en 1928, lorsqu'il avait quitté la Pologne avec son ami Ariel Edelsohn pour Amsterdam, puis Paris, puis Bordeaux, où ils avaient pris le paquebot qui allait les emmener à Buenos Aires, Piłsudski était déjà revenu sur sa décision et entamait sa deuxième vie politique à la tête de la Pologne et les mouvements antisémites avaient disparu pour quelques brèves années des universités de Varsovie.

Vicente Rosenberg était arrivé en Argentine au mois d'avril 1928 avec très peu d'argent en poche et une lettre de recommandation de son oncle pour la Banque de Pologne à Buenos Aires (cette même banque où un autre Polonais, Witold Gombrowicz, allait travailler quinze ans plus tard). Mais très vite, au lieu de devenir un employé de banque, il avait fait des petits boulots par-ci par-là, des petites affaires plus ou moins douteuses, et il était devenu un jeune homme, non pas riche, mais coquet, et galant. Il avait appris à danser le tango, il avait commencé à fréquenter les milongas avec Ariel et Sammy, et Sammy lui avait présenté León, le frère aîné de Rosita, et León lui avait présenté Rosita, sa future femme.

De leur côté, les parents de Rosita étaient arrivés à Buenos Aires avec ses deux sœurs aînées, Olga et Esther, et son frère León en 1905. Rosita avait été la première de la fratrie à naître en Argentine et elle était vite devenue la fille préférée de son père. À dix-huit ans, lorsqu'elle avait terminé le lycée, elle n'avait pas eu de mal à le convaincre de la laisser poursuivre ses études, et elle s'était inscrite à la Faculté de Pharmacie de La Plata. Elle commençait à peine sa deuxième année lorsque León lui avait parlé de Vicente. Dans un premier temps, elle avait hésité à tout abandonner pour ce premier amour. Elle savait que si elle arrêtait les études, elle allait devenir une femme au foyer et elle craignait cette vie qui serait forcément semblable à celle de sa mère et de ses sœurs (et à celle des milliers de générations de femmes qui les avaient précédées), mais elle avait tout abandonné quand même : encore plus que de devenir une femme au foyer comme sa mère et ses sœurs, Rosita craignait de rater ce que tant de romans qu'elle avait lus, ainsi que la plupart de ses amies, appelaient « el hombre de tu vida », l'homme de ta vie. Et puis Vicente n'était pas tout à fait comme les maris de ses sœurs ou comme son père : Vicente avait fait des études et il s'habillait si bien et il aimait danser et parler et jouer et profiter de la vie comme si elle avait un autre sens que d'avoir des enfants et devenir un commerçant prospère.

Rosita venait d'une famille qui, bien qu'aussi aisée que celle de Vicente (son grand-père, fabricant de cigares, avait eu son heure de gloire dans les années 1860), était relativement inculte et n'avait quitté le shtetl près de Kiev que peu avant sa naissance. De même que dans les études de pharmacie, elle voyait dans Vicente une promesse de quelque chose de nouveau, d'un changement radical, définitif, qui la ferait quitter à tout jamais l'univers de la fabrique de meubles en bois où elle avait grandi.

Son père, Pini Szapire, ne s'était pas trompé. S'il s'était méfié de ce jeune dandy polonais, ce n'était pas tant parce qu'il était, malgré ses beaux habits, beaucoup plus pauvre qu'eux : c'était bien davantage parce qu'il avait vu en lui quelque chose de semblable à ce qu'y voyait Rosita – et qu'il ne voulait pas perdre sa fille préférée, celle qui avait été la première à avoir exprimé le désir de faire des études, la première de la famille qui, espérait-il, deviendrait « quelqu'un » et épouserait, plutôt qu'un charmant magouilleur polonais, un médecin, un avocat ou un architecte argentin de bonne famille. Mais le père de Rosita avait fini par céder, et Rosita s'était mariée, et elle était partie en lune de miel en Uruguay, au Grand Hôtel Casino de Carrasco. Rosita et Vicente avaient passé une semaine entière entre la roulette, la piste de danse et la plage. Ils avaient beaucoup dansé, ils s'étaient beaucoup aimés, et ils avaient beaucoup joué. Vicente, alors, adorait déjà le tapis vert mais il détestait perdre. Et, les nuits où la chance n'était pas au rendez-vous, Rosita savait le câliner en sortant à l'aube du casino et il ne tardait jamais à retrouver la joie et le sourire.

Les premières années de leur mariage étaient passées aussi vite que passent les années lorsqu'on est heureux, lorsqu'on a trois enfants en six ans, lorsqu'on déménage quatre fois et qu'on change de travail tous les trois mois.

Bref, en 1940, Vicente et Rosita s'aimaient toujours autant, Vicente était toujours jeune et beau, et il prenait toujours autant soin de son apparence, mais il avait aussi accepté d'ouvrir un magasin pour vendre les meubles de son beau-père et il était aussi devenu un père de famille – et Rosita était devenue, aussi, une femme au foyer. Vicente avait depuis longtemps oublié le yiddish et il avait appris à parler parfaitement en argentin. À part son ami Ariel, plus personne ne l'appelait Wincenty : tout le monde l'appelait Vicente – et il se sentait quand même, finalement, en ce temps-là, bien plus argentin que juif ou polonais.

Ce vendredi 13 septembre après dîner, pendant que Rosita rangeait la cuisine, Vicente avait mis les enfants au lit. Il leur avait raconté une histoire qu'il leur avait déjà racontée de nombreuses fois et que ses enfants, ses filles surtout car son fils était encore trop petit pour la comprendre proprement, adoraient qu'il leur répète avant de s'endormir. Il s'agissait d'une vieille légende juive – ou d'une jeune légende familiale – selon laquelle ils s'appelaient Rosenberg à cause d'un poète allemand, E.T.A. Hoffmann. À l'époque de Napoléon, alors qu'on avait décidé d'inscrire les Juifs dans le registre civil, Hoffmann travaillait comme assesseur dans l'administration prussienne. Tous les Juifs avaient dû se rendre au tribunal pour qu'on leur donne un nom, et le poète allemand, qui s'occupait justement de les inscrire, s'inspirant peut-être des Indiens d'Amérique du Nord, les avait tous nommés avec des métaphores romantiques : Arbre Doré, Lueur de l'Aube, Forêt de Diamants – ou Rosenberg, Montagne de Roses.

— Mais avant, mon capitaine, on s'appelait comment avant ?

Vicente venait de finir son histoire lorsque Martha, sa fille cadette, pour la première fois ce soir-là, lui avait posé cette question à la fois si étrange, et si logique.

— Je crois qu'on s'appelait Ben quelque chose… Ou alors, non… Non, en fait, je crois qu'on portait le prénom du père de… ou de là où on était né… ou peut-être du métier qu'on faisait… En fait je ne sais pas, j'ai complètement oublié !

Comme Ercilia, son autre fille, insistait pour qu'il essaie de s'en souvenir, Vicente leur avait dit qu'il allait poser la question à leur grand-mère qui, comme elles le savaient, était restée en Pologne ; et que si elle non plus ne s'en souvenait pas, elle trouverait d'autres membres de la famille qui, c'est sûr, s'en souviendraient. Puis il s'était levé et avait éteint la lumière.

— C'est promis, je vais lui écrire pour lui demander.

Vicente avait posé un baiser sur le front de chacune de ses filles, et aussi sur celui de son fils qui dormait déjà, et il était sorti de la chambre des enfants. Dans le couloir, il s'était tourné vers la lueur qui s'échappait par la porte entrouverte de la cuisine, mais au lieu de parcourir les quelques mètres qui le séparaient de sa femme, il avait collé son dos contre le mur et il était resté un instant seul, debout dans la pénombre, à réfléchir. Il avait pensé à ce qu'il avait dit à ses enfants. Il s'en voulait un peu : il savait qu'il ne pourrait peut-être pas tenir sa promesse. Enfin, il savait qu'il pourrait tenir la promesse d'écrire à sa mère pour lui demander quel était leur nom avant qu'on ne les nomme Rosenberg, mais il se disait que sans doute il n'aurait pas de réponse.

Il se doutait que peut-être elle ne lui répondrait pas, puisque depuis des mois elle n'avait répondu à aucune de ses lettres.

Le lendemain (non pas le lendemain de ce vendredi 13 septembre 1940 où il avait raconté pour la énième fois l'histoire de E.T.A. Hoffmann à ses enfants, ni le lendemain du lendemain de ce jour, ni le lendemain d'un autre jour, non pas le lendemain, disons, mais plutôt un lendemain, un lendemain précis et imprécis à la fois, un lendemain d'un jour tout aussi précis et tout aussi imprécis, un lendemain certain et incertain si vous préférez), Vicente était parti de chez lui d'un pas décidé. Comme chaque homme, c'est-à-dire comme tous les hommes, de même qu'il se levait le matin parfois d'un bon pied et parfois d'un mauvais pied, Vicente marchait de pas variés selon les occasions : pas réfléchis, hésitants, furtifs, fugaces, pressés – ou, comme ce jour-là, pas décidés. Ce jour-là, ce lendemain général et défini à la fois, ce qui motivait sa décision était qu'il devait recevoir une série de candidats pour la petite annonce qu'il avait fait publier dans *El Mundo* la veille. En arrivant à son magasin de meubles, Vicente n'avait donc pas été surpris de trouver deux jeunes hommes, l'un blond, l'autre brun, et un troisième homme barbu, l'air pas commode, et bien plus âgé, qui attendaient devant la porte. Il avait levé le rideau de fer et il avait fait passer d'abord l'homme âgé dans le local sombre, tout en longueur, où il exposait les meubles de son beau-père. Il n'avait pas fait passer d'abord cet homme-là parce que son air pas commode lui semblait faire de lui a priori un meilleur candidat mais, au contraire, parce qu'il était presque sûr de devoir écarter sa candidature. Ce qu'il avait fait dès qu'il avait fini de l'écouter énumérer, pendant une petite dizaine de minutes, les postes de vendeur qu'il avait occupés pendant les trente-cinq dernières années. L'homme, comme il le disait lui-même, avait presque tout vendu : produits de beauté, produits d'entretien, livres, montres, produits pour bétail, perruques, chaussures, bijoux, et même des voitures. L'homme avait pratiquement tout vendu – sauf des meubles.

— Justement.

— Justement ?... Mais... justement... justement quoi ?

— Justement ce sont des meubles qu'il s'agit de vendre ici.

L'homme barbu avait fait le tour du magasin du regard.

— Oui, je sais bien. Ça se voit...

— Et donc voilà : justement.

L'homme avait souri, pas très rassuré. Il ne savait pas si Vicente faisait de l'humour ou s'il était sérieux. Vicente s'était levé et l'avait raccompagné à la porte, coupant court à l'entretien pour dissimuler le fait que lui non plus ne savait pas au juste si sa remarque avait ou non quelque chose de comique.

Le deuxième candidat qu'il avait invité à entrer dans le magasin était le jeune homme brun. Il n'était pas seulement brun à dire la vérité : il était très brun. Il était très très brun. Il était très très brun de la même manière que l'autre jeune homme était très très blond. Il y avait quelque chose d'insolite dans l'opposition absolue de la couleur des cheveux et de la peau de ces deux personnes ; et Vicente n'avait pu s'empêcher, avant de faire passer le jeune homme brun, de marquer un temps d'arrêt pendant lequel il avait posé un regard pénétrant sur l'un puis sur l'autre de ses deux derniers candidats. Le jeune homme brun lui avait aussi parlé de son expérience. Il avait surtout travaillé comme serveur dans des restaurants, ainsi que dans une station-service, mais il avait le désir, comme il disait, de « changer de métier ».

— Vous êtes argentin ?

Le jeune homme l'avait regardé un peu vexé, et un peu agacé aussi : son accent trahissait clairement le fait qu'il venait d'Espagne.

— Non, je viens de La Coruña. Je suis arrivé à Buenos Aires il y a six mois. Pourquoi ?

— Pour rien.

Vicente lui avait demandé si là où il logeait il y avait une ligne téléphonique et il avait noté le numéro. Puis il l'avait raccompagné à la porte en lui disant qu'il lui donnerait des nouvelles. Ce qu'il savait qu'il ne ferait jamais. Vicente avait regardé un long moment le jeune homme très très brun traverser la rue, s'éloigner et se retourner, surpris par l'attitude singulière de cet improbable patron, puis il avait fait entrer le jeune homme très très blond dans le magasin. Le jeune homme très très blond s'était assis très très naturellement face à lui et l'avait remercié en hochant la tête. Vicente l'avait contemplé en silence : il était tiré à quatre épingles, il avait des lèvres fines et une fine moustache. Bref, âgé d'une dizaine ou d'une quinzaine d'années de moins que lui, il lui ressemblait. Et Vicente l'avait choisi pour le poste de vendeur au premier regard. Il ne savait pas très bien pourquoi il l'avait choisi immédiatement, mais quelque chose en lui, au-delà de leur ressemblance, lui plaisait énormément.

— Vous avez déjà travaillé comme vendeur ?

Le jeune homme blond avait encore hoché la tête, mais il n'avait pas répondu. Vicente avait insisté :

— Vous avez déjà vendu des meubles ?

Le jeune homme blond lui avait fait un magnifique sourire, mais toujours sans émettre le moindre mot.

— Vous ne parlez pas l'espagnol, n'est-ce pas ?

Timidement, le jeune homme avait secoué la tête, montrant que le sens de cette dernière question ne lui avait pas échappé. Vicente avait compris et lui avait redemandé, en allemand, s'il avait déjà travaillé dans un magasin de meubles.

— Jamais.

— Vous faisiez quoi comme travail avant ?

— Je n'ai jamais travaillé.

Le jeune homme blond lui avait fait de nouveau son magnifique sourire. Un sourire absolument désarmant.

Il s'appelait Franz. Et il venait de Brême. Il avait fui l'Allemagne avec ses parents et était arrivé à Buenos Aires trois semaines plus tôt. Et, bien qu'il eût l'air d'avoir entre vingt-cinq et trente ans, il n'en avait que dix-huit. Vicente l'avait embauché sur-le-champ. Dès le lendemain, le jeune homme s'était mis au travail, c'est-à-dire qu'il s'était mis à attendre d'éventuels clients sur le seuil de la porte du magasin. Assis derrière son bureau, Vicente le regardait traîner devant la boutique. Il sentait quelque chose de très rassurant à être ainsi aidé à ne rien faire. Et puis, les éventuels clients, lorsque après avoir léché la vitrine, séduits par le magnifique sourire silencieux de Franz, ils finissaient par entrer dans le magasin, repartaient le plus souvent avec des achats qui suffisaient amplement à justifier le maigre salaire qu'il avait proposé au jeune homme et que le jeune homme s'était empressé d'accepter.

En le regardant, Vicente se demandait parfois pour quelle raison il l'avait embauché, ou plutôt pour quelle raison il l'avait choisi aussi simplement, au premier regard. Ce n'est que quelque temps plus tard, le matin du lundi 9 décembre 1940, alors que Franz travaillait dans le magasin depuis déjà trois semaines et que son sourire attirait de plus en plus de clients, que Vicente devait, pour la première fois, s'inquiéter du fait que le jeune homme fût ou ne fût pas juif. Pudique, il n'avait jamais osé lui poser la question. Mais ce jour-là soudain, il avait compris qu'en le voyant il avait immédiatement songé : c'est un jeune homme allemand. Et qu'il l'avait choisi uniquement pour cette raison. Il avait compris qu'il l'avait choisi uniquement pour cela même qui, quelques mois plus tard, lui ferait refuser quoi que ce soit qui puisse être qualifié par cet adjectif.

Ce lundi 9 décembre 1940, un peu plus tard dans la journée, Ariel était passé chercher Vicente pour l'emmener déjeuner à El Imparcial, un vieux restaurant situé pas très loin de son magasin de meubles. Cela faisait trois semaines que Vicente manquait à leur traditionnel rendez-vous du vendredi soir au Tortoni et, après en avoir discuté avec Sammy, Ariel avait décidé qu'il était temps de savoir quelle mouche avait bien pu piquer leur ami. Dès qu'il était entré dans le magasin, après avoir salué le jeune Franz qui se tenait sur le seuil de la porte droit comme une allumette et souriant de son sourire resplendissant, Ariel avait remarqué que Vicente avait un air particulier, comme si quelque chose d'évident et d'imperceptible à la fois avait modifié ses traits : une certaine lassitude semblait le rendre encore plus distant, encore plus évanescent qu'il ne l'était d'habitude. Ariel n'avait rien dit. Il avait fait le tour du magasin, avait regardé les nouveaux meubles, s'était inquiété du coût de son nouvel employé, puis ils étaient partis en marchant vers le coin des rues Victoria et Salta où se trouvait le restaurant.

Le centre de Buenos Aires, comme toujours à l'heure du déjeuner, était bruyant, débordant d'hommes pressés, de vendeurs à la sauvette et de femmes à la mode qui entraient et sortaient des magasins. Des chevaux traînant des poubelles se mêlaient aux voitures sur la chaussée, et malgré la chaleur étouffante, presque tous les hommes, et la majorité des enfants, revêtaient des costumes et des cravates, et beaucoup aussi, comme Ariel et Vicente, portaient des chapeaux. La grande salle d'El Imparcial était bondée et on les avait placés à une table située au milieu du local, coincée entre d'autres tables où les conversations animées commentaient aussi bien les matches de football de la veille (Boca Juniors, premier au classement, avait vaincu 5 à 2 le second, Independiente, et, alors qu'il manquait encore deux journées au championnat, s'était déjà assuré le titre) que la tentative des États-Unis de négocier avec les pays d'Amérique du

Sud un accord militaire afin de se défendre conjointement en cas d'agression extérieure du continent. Mais les Argentins se méfiaient des Uruguayens, et les Uruguayens se méfiaient des Paraguayens, et les Paraguayens se méfiaient quant à eux des Chiliens qui à leur tour se méfiaient des Argentins... Bref, les efforts diplomatiques de Roosevelt ne semblaient pas près d'aboutir.

Affamé, Ariel s'était emparé du menu et avait proposé à Vicente de partager une paella, mais Vicente était si concentré sur la discussion politique des trois hommes d'affaires qui déjeunaient à la table qui se trouvait à sa droite qu'Ariel, sans attendre sa réponse, avait finalement accepté la proposition de Gaston, le garçon, de prendre une portion de jambon, un riz à l'encre de seiche pour deux et une bouteille de rioja. Vicente s'était détourné de la table des hommes d'affaires et son regard s'était porté sur le journal que venait de déposer l'homme seul qui prenait son café à la table située à sa gauche. Il avait demandé d'un geste s'il pouvait s'en saisir et il avait parcouru rapidement la section consacrée à la politique étrangère. Hormis les nouvelles sur l'entreprise diplomatique nord-américaine, c'étaient des informations sur l'évolution de la situation en Grèce et dans le Pacifique Sud qui occupaient la plupart de ses pages. Inquiet, et sans détourner le regard du journal, Vicente s'était adressé à son ami :

— Tu sais que je ne lis pas beaucoup les journaux, mais toi tu... tu as su quelque chose ? Je veux dire, tu as su quelque chose sur ce qui se passe chez nous ?

— Chez nous ?

Ça faisait très longtemps qu'Ariel n'avait pas entendu Vicente se référer à la Pologne en ces termes.

— Oui, chez nous, avait répondu Vicente avec un sourire.

Vicente comprenait parfaitement l'étonnement de son ami et ils n'avaient eu besoin, ni l'un ni l'autre, d'éclaircir cette petite confusion qui, par un simple regard, avait cédé sous le poids de leur complicité.

— Il paraît qu'à Varsovie aussi, ils ont commencé à bâtir un mur...

— Oui, comme à Łódź. Ils commencent à faire ça partout. Quand ce n'est pas une palissade, ce sont des fils de fer barbelés. Et chez nous, à Varsovie, c'est carrément une muraille !

Ariel lisait tous les journaux. Les journaux argentins aussi bien que les rares journaux européens et nord-américains qui parvenaient à Buenos Aires avec, souvent, plusieurs semaines de retard. Et il avait aussi ses entrées dans les rédactions des grands quotidiens de la capitale, comme *Crítica* et *La Nación*, ainsi qu'un cousin, Alejo Muchnik, qui écrivait pour *La Idea Sionista*, un des journaux de la communauté juive de Buenos Aires. Au début de l'été austral de l'année 1940, beaucoup de gens avaient entendu parler des mesures antisémites prises par les nazis pour exproprier les Juifs, puis pour les confiner dans certains immeubles, et des premiers convois envoyés dans le Gouvernement général en Pologne, ainsi que du ghetto de Łódź et du mur qu'on avait commencé d'ériger pour isoler le quartier juif de Varsovie, mais on ignorait, presque partout dans le monde, ce qu'était réellement la vie à l'intérieur des ghettos. Vicente, quant à lui, bien que juif et polonais, était encore moins bien informé que la plupart des gens, même les Argentins qui, nés en Argentine, n'avaient jamais mis un pied en Europe. Il avait su, bien sûr, qu'au mois de septembre 1939 les Allemands avaient envahi la Pologne. Et il n'ignorait pas à quel point les Allemands, avec la même ténacité que les Polonais ou les Russes depuis des décennies et d'une manière terriblement plus institutionnelle depuis 1933, étaient profondément antisémites. Mais il n'avait jamais vraiment voulu se rendre à l'évidence du danger que couraient sa mère et son frère, qui vivaient encore à Varsovie, et sa sœur, qui avait réussi à fuir avec son mari en Russie. Le mur que les Allemands venaient d'ériger pour isoler les Juifs à Varsovie avait délimité une zone d'à peine plus de trois kilomètres carrés où allaient vivre plus de quatre cent mille personnes. Quatre cent mille personnes dans quelques pâtés de maisons. Quarante pour cent de la population de la ville dans quatre pour cent de sa superficie. Cent vingt-huit mille habitants au kilomètre carré. C'est-à-dire une densité six fois plus importante que celle de Paris intra-muros aujourd'hui. Une densité trois fois plus importante que celle de Dacca, la ville la plus dense du monde.

Dans un premier temps, les Allemands avaient forcé tous les Juifs qui habitaient dans les différents quartiers de Varsovie à déménager dans le ghetto. Puis ça avait été le tour de tous les Juifs qui vivaient dans les villages environnants. Les rues pullulaient de monde. La majorité des gens vivaient entassés les uns sur les autres. En deux ans, dans cet enfer surpeuplé, cent mille personnes allaient mourir de froid et de faim. Cent mille personnes allaient mourir avant les déportations et les fusillades, avant qu'on ne commence à les emmener, à raison de quelques milliers par jour, dans ces camps où les nazis allaient réussir à faire de la mort une mécanique purement industrielle.

Avant le début de la guerre, Vicente avait toujours refusé de lire les nouvelles d'Europe. Il avait toujours préféré ne pas en parler. Et pendant la « drôle de guerre », entre le mois de septembre 1939 et le mois de mai 1940, il disait même souvent que toutes ces histoires étaient aberrantes, que les journaux devaient sans doute « mentir un peu ». Ensuite, il avait commencé à penser, sans forcément le dire à ses amis, que de toute façon ça ne servait à rien de savoir, d'être informé : était-il possible de faire quelque chose à douze mille kilomètres de distance ?

Quant à l'idée de retourner en Pologne pour se battre, ça va, on lui avait déjà fait le coup une fois, il n'était pas près de recommencer. Il s'était battu, il avait même réussi à devenir capitaine de l'armée polonaise. Mais il avait bien vu, après, à l'université, comment ses camarades l'avaient remercié d'avoir libéré leur patrie : par des insultes, en le traitant de « Juif », comme si être juif l'empêchait d'être polonais. Alors ça voudrait dire quoi, maintenant, de retourner et de se battre pour les siens ? Ce serait quoi d'ailleurs, maintenant, « les siens » ? En 1940, Vicente ne savait peut-être pas s'il était juif ou argentin, mais il savait qu'il n'était plus assez polonais pour se battre, comme il s'était battu, pour défendre ce pays.

— Tu te souviens de Deborah ?... Mais si, tu sais, cette amie de ma sœur qui s'est mariée avec Nathan, le dentiste de Poznań... Elle lui a écrit que leur appartement avait été réquisitionné et qu'ils habitaient maintenant à douze dans une seule pièce...

Vicente avait écouté son ami lui énoncer quelques nouvelles qu'il avait grappillées ici et là à propos de la vie dans le ghetto. Ariel lui avait dit qu'on craignait des débuts d'épidémies, qu'on parlait de tuberculose, de typhus, et que certains disaient même que les Allemands avaient décidé d'affamer les Juifs. Vicente l'avait écouté sans émettre le moindre mot mais avec une tristesse infinie, un désespoir silencieux qu'Ariel avait tardé à remarquer.

— Ça va, Wincenty ?

Vicente avait répondu d'un haussement d'épaules. Ils avaient fini le riz, ils avaient pris des cafés, et lorsqu'ils avaient quitté le restaurant, Ariel avait de nouveau posé son regard sur le visage de son ami.

— Tu es sûr que ça va ? Je ne peux pas faire quelque chose ? Je ne sais pas, tu as l'air un peu…

Vicente ne l'avait pas laissé terminer sa phrase. Il l'avait rassuré d'un minuscule geste de la tête et il était parti vers son magasin. Ariel l'avait regardé s'éloigner, se demandant s'il ne s'était quand même pas passé quelque chose, s'il n'y avait pas une raison particulière qui justifiât le fait que son ami eût été, pendant le déjeuner, encore plus taiseux qu'il ne l'était depuis le début de la guerre.

Ariel avait regardé Vicente marcher lentement et tourner lentement au coin de la rue, puis, impuissant, il avait allumé une cigarette, il s'était retourné et, toujours troublé par l'attitude de son ami, il était parti vers chez lui. De son côté, Vicente avait continué, toujours aussi lentement, de remonter la rue en direction du magasin. Il avait continué d'avancer, obsédé par ses pensées. Car Ariel avait raison : il s'était effectivement passé quelque chose dont Vicente ne lui avait rien dit, quelque chose dont il n'avait encore parlé à personne, quelque chose qui avait modifié le regard qu'il portait sur le jeune Franz et qui l'avait rendu encore plus sibyllin qu'il ne l'était auparavant. Ce que Vicente n'avait pas confié à son ami ? Qu'avant qu'il ne se rende au magasin le matin du lundi 9 décembre 1940, un événement était venu confirmer l'appréhension qu'il éprouvait depuis quelques semaines, cette appréhension qui l'avait tenu éloigné du Tortoni et de ses amis, cette appréhension née des rares nouvelles qu'il avait entendues malgré lui à la radio, au café et au kiosque du coin de la rue : le facteur lui avait remis une lettre postée à Varsovie, avec des timbres allemands et des sceaux à l'aigle guerrier – une enveloppe sur laquelle il avait immédiatement reconnu l'écriture de sa mère.

Mon chéri,

Merci pour les dollars. Tu as peut-être entendu parler du grand mur que les Allemands ont construit. Heureusement la rue Sienna est restée à l'intérieur, ce qui est une chance, car sinon on aurait été obligés d'abandonner l'appartement et de déménager. Comme ça, au moins, on a pu éviter qu'il soit saisi. La vie n'est pas facile, mais on s'organise. Le problème c'est la foule. Ils ont emmené beaucoup de Juifs des autres quartiers. Ils remplissent les rues de tristesse. On peut dire que nous, on a eu de la chance. Même si, comme tout le monde, on a du mal à trouver de quoi se nourrir. J'ai dû vendre les bijoux qui me restaient et le manteau de fourrure que m'avait offert ton père pour mes quarante ans. Tu t'en souviens ?

Envoie-nous tout ce que tu peux. Ton grand frère t'embrasse. Il demande que tu lui écrives.

Ta mère qui t'aime

Vicente avait répondu à sa mère immédiatement. Malgré sa terrible inquiétude, il lui avait envoyé des mots qui se voulaient rassurants. Il lui avait proposé ce qu'il lui avait déjà proposé cinq ans, et trois ans, et deux ans aussi auparavant, juste avant le début de la guerre : de venir le rejoindre en Argentine. À chaque fois, malgré les pogroms de 1935 et 1936, malgré la montée de l'antisémitisme partout en Europe, elle avait refusé. Elle avait refusé parce que Berl et Rachel ne voulaient pas quitter la Pologne et qu'elle ne voulait pas s'éloigner d'eux. Vicente savait que sa sœur, il aurait été impossible de la convaincre, puisqu'elle s'était mariée avec ce communiste qui croyait qu'avec les Russes il allait changer le monde. Mais son grand frère, Berl, qui s'était marié avec une femme qui était aussi médecin et qui venait d'avoir un fils, Vicente pensait que sa mère arriverait à le persuader de venir le rejoindre à Buenos Aires avec sa famille. Vicente ne pouvait pas comprendre pourquoi sa mère refusait de voir que l'avenir était ici, en Amérique, pas en Europe. Cette fois-ci, avec des mots plus doux que ceux qu'il avait employés à l'époque, Vicente lui avait écrit qu'il savait que maintenant c'était devenu difficile, mais qu'après la guerre, il espérait qu'ils viendraient tous le retrouver. Elle, Berl, sa femme, son fils et même Rachel, qui était déjà partie en Russie. Il lui avait écrit qu'il s'occuperait de tout. De tout.

Après le déjeuner, Vicente avait passé l'après-midi dans le magasin. Il y avait eu deux clients, un homme seul et un couple avec ses enfants. Attirés par le sourire radieux de Franz, ils avaient acheté plusieurs meubles. Pour les affaires, ça avait été une bonne journée. Mais Vicente n'arrivait plus à penser à rien d'autre qu'à sa mère. Des détails de son visage, de ses mains, l'intonation de sa voix, et certains gestes, comme la façon dont elle se coiffait, lui étaient brusquement revenus en mémoire. Il avait laissé Franz fermer le magasin et il était reparti à la maison assez tôt. Il avait marché lentement et s'était arrêté au comptoir d'un café pour relire la lettre. « Comme tout le monde, on a du mal à trouver de quoi se nourrir. » Puis il avait continué son chemin, l'enveloppe à la main. « J'aurais dû insister plus. J'aurais dû lui répéter tout le temps, toutes les semaines, dans chaque lettre. Jamais je n'aurais dû la laisser rester à Varsovie. » Vicente était arrivé en Argentine en 1928, presque treize ans auparavant. Il avait fui la Pologne pour des raisons complexes, variées, immenses, terribles – des raisons qui, après avoir lu la lettre de sa mère, lui avaient semblé soudain absolument futiles.

Lorsqu'il était arrivé chez lui, Rosita venait de mettre les enfants dans le bain et elle commençait à peine de préparer le dîner. Du regard,

Vicente avait fait le tour du petit appartement où ils vivaient depuis quelques mois. Pourquoi ce petit salon avec son petit canapé donnant sur ce petit balcon, pourquoi cette petite salle à manger avec sa table ronde en bois sombre et son buffet encore plus sombre, pourquoi cette petite cuisine dont le carrelage blanc était égayé d'une frise de carreaux bleus, pourquoi ce couloir étroit donnant sur la petite chambre des enfants et sur leur petite chambre à coucher – pourquoi ce lieu insignifiant était-il devenu le premier endroit qu'il avait, de toute sa vie, contemplé comme un foyer ? Sans chercher une réponse à cette question, sans même avoir réellement pris conscience qu'il venait de se la poser, Vicente s'était tourné vers sa femme, qui avait quitté la cuisine et s'était approchée de lui. Et il l'avait regardée sans un mot.

— Ça va ?

Rosita avait remarqué son étrange état.

— Tu as l'air...

Pour toute réponse, Vicente lui avait fait un minuscule sourire. Rosita l'avait aidé à retirer sa veste et, en la posant sur le cintre, elle avait remarqué la lettre qui dépassait de la poche. Soucieuse, elle avait pris l'enveloppe et avait contemplé l'écriture si particulière, si appliquée, de Gustawa.

— Qu'est-ce qu'elle te dit ?

— Rien de spécial... Je te la traduirai plus tard.

Rosita n'avait pas insisté. Elle avait posé la

lettre sur une étagère et, sans un mot, elle avait pris son mari dans ses bras. Sans un mot, elle l'avait serré contre elle. Sans un mot, elle l'avait embrassé sur le front, sur les paupières, sur les joues. Puis, comme les enfants subitement s'étaient mis à l'appeler en hurlant, elle l'avait pris par la main et l'avait forcé à l'accompagner vers la salle de bains.

Martha, Ercilia et Juan José étaient tous les trois dans la baignoire. Ils avaient joué à s'éclabousser et il y avait de l'eau partout. Et Juan José avait du savon dans les yeux. En voyant leur père, surprises, les filles s'étaient aussitôt arrêtées de crier. Vicente s'était accroupi à côté de la baignoire et il les avait embrassées ; et pendant que Rosita retournait dans la cuisine pour préparer le dîner, il avait retroussé les manches de sa chemise pour s'occuper de Juan José.

— Et si au lieu de dîner à la maison on allait à Las Cuartetas ?

L'eau était sur le point de bouillir et Rosita, qui avait déjà ouvert la boîte en carton contenant les raviolis achetés à la fabrique de pâtes qui se trouvait au coin de la rue, n'avait pu s'empêcher de faire une petite grimace d'agacement face à la proposition de son mari. Mais Martha et Ercilia, emmitouflées dans des serviettes, avaient aussitôt poussé un petit cri de joie à l'idée d'aller dîner dehors et le visage de Juan José, que Vicente tenait dans ses bras, sans qu'il comprît vraiment la situation, s'était éclairé d'un si grand sourire en voyant l'excitation de ses deux grandes sœurs que Rosita n'avait pu, à peine quelques secondes plus tard, s'empêcher d'acquiescer et de sourire à son tour. Elle avait aidé les enfants à s'habiller pendant que Vicente se changeait, et un quart d'heure plus tard ils quittaient déjà l'immeuble de la rue Paraná.

La nuit était tombée et l'air commençait enfin de se rafraîchir. Rosita, Vicente et les enfants s'étaient dirigés vers l'avenida Corrientes, puis l'avaient descendue au milieu de la foule bigarrée. Auréolés par les loupiotes des kiosques et les dizaines d'enseignes lumineuses des théâtres et des librairies, ils avaient marché jusqu'à Las Cuartetas, cette pizzeria qui avait ouvert trois ans plus tôt et qui commençait déjà de devenir célèbre. Vicente portait son fils sur les épaules et Rosita tenait les deux filles par la main. Tout en marchant, Vicente avait résumé rapidement à sa femme la lettre de sa mère. Et de répéter ses mots, pour déplaisants qu'ils fussent, l'avait aidé, si ce n'est à oublier la culpabilité qu'il n'arrivait jamais à effacer tout à fait de son cœur, à retrouver entièrement cette bonne humeur que les enfants lui avaient déjà en partie rendue lorsqu'il était arrivé dans l'appartement. Rosita l'avait rassuré en lui disant qu'au moins, enfin, il avait eu des nouvelles, et puis que la guerre ne durerait pas toujours, qu'un jour, *ojalá*, Gustawa pourrait enfin venir s'installer avec eux à Buenos Aires. Vicente avait acquiescé. Il savait que ces mots doux de sa femme cachaient aussi des reproches. Quelques années auparavant, Rosita lui avait conseillé, s'il voulait vraiment que sa mère vienne s'installer avec eux, d'écrire à son frère et à sa sœur, ou bien d'aller la chercher. Mais Vicente n'avait rien fait. Il lui avait même avoué que depuis qu'il était arrivé en Argentine, il avait compris que l'exil lui avait permis, aussi, de devenir indépendant, et qu'il n'était pas si sûr de vouloir vivre de nouveau avec elle. S'éloigner de sa mère, en 1928, l'avait tellement soulagé – être loin d'elle, aujourd'hui, le torturait tellement.

Vicente et Rosita avaient continué de marcher et ils avaient changé de sujet. Après avoir discuté de l'école de leur fille aînée et de sa maîtresse, que Vicente ne trouvait pas « à la hauteur », Rosita avait annoncé à son mari qu'elle souhaitait, dès que leur fils serait en âge d'entrer en primaire, reprendre les études de pharmacie qu'elle avait interrompues lorsqu'ils s'étaient mariés.

— Mais pour quoi faire ? Le magasin commence à bien tourner. Cette après-midi, on a vendu un sofa et une salle à manger complète, avec huit chaises ! Je gagne assez d'argent... Je gagnerai toujours assez d'argent. Tu ne dois pas t'inquiéter.

— Mais je ne m'inquiète pas ! J'ai juste envie de reprendre les études.

Rosita avait regardé un moment son mari en silence et, devant son air désolé, elle avait ajouté, d'une voix beaucoup plus douce :

— Pas maintenant. Il n'y a pas d'urgence, je ne suis pas pressée. Mais un jour… un jour j'aimerais bien, un jour…

Rosita n'avait pas fini sa phrase. Ce n'était pas nécessaire : Vicente avait compris.

— Mi Rusita…

« Ma petite Russe. » Avec la plus grande douceur, il lui avait souri et il avait juste prononcé ce surnom qu'il lui avait donné, changeant une seule lettre de son prénom, peu après l'avoir rencontrée. Puis, comme elle avait les deux mains prises par ses filles, au lieu de prendre la main de sa femme, il avait pris la main de sa fille aînée et tous les cinq avaient continué de marcher ensemble, encore plus unis qu'auparavant. Ils avaient traversé l'interminable avenue 9 de Julio et ils étaient arrivés devant la pizzeria. Ils avaient fait la queue parmi la vingtaine d'hommes en costume-cravate qui attendaient à l'entrée, et ils avaient attendu encore devant le comptoir. Et, avant d'aller s'asseoir sur l'une des petites tables en marbre, ils avaient commandé une grande « musarela », une petite « fugaza », trois parts de « fainá », une limonade que les filles devraient se partager, et une bouteille de bière, une Quilmes d'un litre dont Vicente allait boire les trois quarts. Pour faire plaisir aux enfants, tout en mangeant, et même s'il manquait encore trois semaines avant de partir, Vicente avait commencé à parler des vacances d'été. Il avait proposé, au lieu d'aller à Mar del Plata avec les parents de Rosita comme l'année précédente, d'aller à Piriápolis, en Uruguay. Les deux destinations étant aussi appropriées aux joies de l'enfance, c'est-à-dire aux jeux de plage et aux diverses activités qui comblaient les fins d'après-midi et les soirées, tout le monde avait accepté avec enthousiasme.

— Mince !

Vicente venait de faire une tache de sauce tomate sur sa cravate couleur crème et sa chemise blanche. Rosita avait tout de suite pris une petite serviette pour l'essuyer.

— Mais vraiment... ! Quelle idée de t'habiller aussi chic pour aller manger une pizza.

Les filles avaient ri, et Vicente s'était justifié :

— Lorsqu'on sort de la maison, il faut toujours être bien habillé. Au cas où. On ne sait jamais qui on peut rencontrer...

Comme ses filles le regardaient, étonnées, Vicente s'était tourné vers elles pour préciser :

— Et puis c'est aussi une marque de politesse pour tous les gens qu'on croise et qu'on ne connaît pas. C'est bien de leur montrer qu'on a fait un effort, un effort qui leur est destiné. C'est pareil que de bien se tenir lorsqu'on mange, ce n'est pas seulement pour soi qu'on le fait...

Vicente avait pris sa cravate dans ses mains et, pour les faire rire, il avait ajouté :

— Ce n'est pas seulement pour ne pas se salir... C'est pour les autres personnes qui sont autour de la table surtout.

L'arrivée providentielle du serveur, qui apportait deux soupes anglaises, cette autre spécialité du lieu pour laquelle on se bousculait alors autant que pour les pizzas, avait mis un terme au cours de maintien que Vicente avait commencé de prodiguer – et qu'il avait été le premier à joyeusement démentir en se jetant sur l'un des deux desserts pour en dévorer la moitié en faisant des bruits de cochon. Très vite, tout le monde s'était précipité avec sa petite cuiller pour prendre une part des soupes anglaises et les rires avaient de nouveau fusé autour de la table.

À peine avait-il fini sa part du dessert, Vicente avait confié à sa femme son désir, dès que le magasin « tournerait » tout seul, de chercher un bon fournisseur de meubles New Style pour ne plus se contenter de vendre uniquement les meubles rustiques fabriqués par son beau-père.

— Mais je ne comprends pas. Tu viens de dire qu'ils se vendaient de mieux en mieux.

— Oui, et je ne veux surtout pas arrêter, mais... mais ce serait bien que le magasin devienne aussi... comment dire ?... autre chose. C'est un bon emplacement, il y a beaucoup de passage, et Franz m'aide énormément, je suis sûr qu'on peut attirer une clientèle bien plus raffinée...

Rosita avait fini la soupe anglaise des enfants en souriant : son père avait « ouvert » le magasin à Vicente pour qu'ils vivent mieux, et c'était un immense cadeau, pour lequel Vicente, trop orgueilleux, ne l'avait jamais vraiment remercié. Mais elle aimait aussi que Vicente veuille autre chose, qu'il veuille toujours plus que ce que la vie (ou son père) lui offrait. C'était pour cette raison, pour cette grandeur divine, pour cette ambition naturelle dont il ne se vantait jamais mais qui l'habitait comme l'avidité habite les avares, qu'elle l'admirait tellement.

— Comment ça, *on doit* aller à la bar-mitzvah du fils d'Esther ?

— Oui, dimanche prochain. Je te l'ai déjà rappelé deux fois la semaine dernière.

— Ah bon, tu es sûre ?... Quelle idée de continuer à fêter ces machins !

Dès qu'ils étaient sortis de la pizzeria et qu'ils avaient repris le chemin de la rue Paraná, Rosita avait rappelé à son mari cette obligation familiale qu'elle savait parfaitement qu'il trouverait absurde.

— Pourquoi est-ce que tu trouves que c'est une idée si farfelue ? C'est normal de fêter ça... On est argentins, mais on est quand même toujours un peu juifs, tu ne penses pas ?

— Juifs ?!... Mais on fait plus rien comme des Juifs... Même tes parents, malgré leur accent à couper au couteau, ils préfèrent se parler en espagnol qu'en yiddish ! Et même eux ne portent plus jamais la kippa ! Et ça fait longtemps qu'ils ont oublié le goulasch, le bortsch et le gefilte fisch ! Ils ne mangent que de la viande, des pizzas et des pâtes, comme nous, comme tous les Argentins !

Rosita avait vite laissé tomber cette discussion inutile. Elle avait souvent songé qu'elle avait épousé un homme qui, bien qu'il fût né juif, était rapidement devenu polonais, puis, aussi rapidement, argentin. Et elle l'aimait aussi pour ça. Et puis elle savait que de toute façon elle irait avec les enfants à la bar-mitzvah du fils de sa sœur… et qu'il y avait de fortes chances pour que Vicente décide, finalement, de les accompagner.

Alors que Juan José dormait déjà paisiblement dans les bras de son père et que Martha et Ercilia, heureuses, marchaient la main dans la main en silence, Vicente et Rosita avaient continué de discuter de la vie de tous les jours, se chamaillant avec tendresse, comme un couple que rien ni personne ne pourrait jamais séparer.

Les vacances d'été s'étaient bien passées. Vicente, Rosita et les enfants étaient rentrés de Piriápolis à Buenos Aires et la vie avait repris son cours. Son cours... son cours, comment dire ?... son cours calme ? régulier ? familial ? familier ? Non, la vie avait repris inévitablement son cours. Inévitablement Rosita avait repris le ménage, la cuisine, le repassage. Inévitablement les filles avaient repris le chemin de l'école. Inévitablement Vicente avait repris le travail au magasin de meubles. La vie avait repris *inévitablement* son cours – mais que pouvait-il bien s'écouler en ce mois de mars 1941 à Buenos Aires alors que les nouvelles qui parvenaient d'Europe étaient de plus en plus tragiques ?

À Piriápolis, pendant les mois de janvier et février, Vicente s'était mis à lire assidûment les journaux, et les nouvelles de Pologne avaient fini de transformer l'amour qu'il avait eu pour ce pays en une haine profonde, perfide, pénétrante, qui avait commencé de lui dévorer les entrailles et que, s'il avait encore du mal à l'avouer aux autres, il s'avouait déjà à lui-même. Cette haine qu'il commençait d'éprouver pour la Pologne et pour les Polonais pour des raisons encore inexplicables (les Polonais catholiques souffraient alors autant que les Juifs de l'occupation allemande), il l'éprouvait également, et davantage encore, pour l'Allemagne et les Allemands. De nos jours, de la part d'un Juif polonais, cela pourrait sembler tout à fait naturel. Mais pour lui, cela ne l'était absolument pas. Pendant ses dernières années de lycée à Varsovie, Vicente avait découvert et adoré la poésie allemande. Non seulement Goethe, Schiller, Hölderlin, Novalis et Heine, mais aussi Mörike, Nikolaus Lenau et d'autres poètes romantiques mineurs. Il avait même songé, en 1924, à poursuivre ses études à Berlin. À l'âge de vingt-deux ans, sa langue naturelle, celle qu'il utilisait tout au long de la journée, était le polonais, qu'il parlait parfaitement, sans ce petit accent chantant qu'il avait encore lorsqu'ils étaient arrivés de Chełm à Varsovie, mais Vicente parlait déjà mieux l'allemand que sa vraie langue maternelle, le yiddish. Lors de sa première année d'université, ses camarades se moquaient souvent de cette passion pour la littérature et la langue allemandes, et Vicente défendait cet amour avec une fibre précocement européenne : à la passion pour l'Allemagne s'ajoutait une curiosité amicale pour la France, l'Italie, l'Espagne, l'Angleterre. Il pouvait discuter des heures sur les caractéristiques de chacun de ces pays, sur l'intérêt de chacune de ces cultures. Mais au fond de lui-même, la Pologne restait sa patrie, et l'Allemagne un possible paradis.

À partir de ce triste mois de mars 1941, Vicente allait éprouver une double haine de lui-même : il allait se détester parce qu'il s'était senti polonais et il allait se détester davantage encore parce qu'il avait voulu être allemand. Il allait éprouver une double haine de lui-même que jamais le fait de se sentir juif n'allait soulager. « Pourquoi jusqu'aujourd'hui j'ai été enfant, adulte, polonais, soldat, officier, étudiant, marié, père, argentin, vendeur de meubles, mais jamais juif? Pourquoi je n'ai jamais été juif comme je le suis aujourd'hui – aujourd'hui où je ne suis plus que ça. » Comme tous les Juifs, Vicente avait pensé qu'il était beaucoup de choses jusqu'à ce que les nazis lui démontrent que ce qui le définissait était une seule chose : être juif. À Varsovie, Vicente avait fait partie de cette bourgeoisie éclairée qui en avait eu assez d'être juive si être juif signifiait se vêtir toujours de noir et être un peu plus archaïque que son voisin. Être juif, pour lui, n'avait jamais été si important. Et pourtant, être juif, soudain, était devenu la seule chose qui importait. « Mais pourquoi je suis juif? Pourquoi, aujourd'hui, je ne suis que ça ? Pourquoi je ne peux pas être juif et continuer d'être tout ce que j'étais auparavant ? »

L'une des choses les plus terribles de l'antisémitisme est de ne pas permettre à certains hommes et à certaines femmes de cesser de se penser comme juifs, c'est de les confiner dans cette identité au-delà de leur volonté – c'est de décider, définitivement, qui ils sont. Vicente ne sentait pas qu'on lui avait donné quelque chose, qu'on avait ouvert son esprit, qu'on l'avait éclairé sur ce qu'il était ou sur qui il était. Il ne se disait pas : Ah, au moins maintenant, je sais que je suis juif ! Vicente, comme beaucoup de Juifs, commençait simplement de comprendre que l'antisémitisme a besoin de Sémites pour exister, il commençait de se rendre compte que si un antisémite se définit en l'étant, il ne peut pas tolérer qu'un Sémite ne se définisse pas lui-même parce qu'il l'est.

Ce n'est pas par hasard que le problème de définir ce que pourrait être, exactement, « être juif » avait plongé pendant des années l'administration nazie dans des affres inattendues. Et ce n'est pas par hasard que ce problème n'avait jamais été tout à fait résolu. Est-ce qu'un Juif qui n'est pas croyant est aussi juif qu'un Juif qui a la foi ? Est-ce qu'un Juif dont les parents ou les grands-parents ne sont pas tous juifs est vraiment juif ? Faut-il admettre qu'il existe une « troisième race », ou les Juifs « partiels », les « quart-Juifs » et les Juifs « à demi et aux trois quarts » sont-ils aussi nocifs que les Juifs « entiers » ? Et qu'est-ce qu'un Juif qui n'a pas l'air juif, qui n'a pas l'air retors, qui n'a pas les cheveux noirs, qui n'a pas le nez crochu ? Et que dire des Juifs convertis au christianisme ou des Juifs qui ont épousé une Allemande ou des Juives qui ont épousé un Allemand ? Ne jamais savoir réellement ce qu'était au juste cette qualité – ou, comme dirait un antisémite (ou un Juif qui a de l'humour), ce défaut – n'allait pourtant pas empêcher l'administration nazie de réfléchir à comment exproprier les Juifs, puis à comment les concentrer, puis à comment les déporter, puis, enfin, à comment les exterminer.

Comprendre exactement pourquoi, à ce moment précis de l'histoire, les antisémites allemands ont eu besoin non seulement de définir les Juifs, non seulement de les exproprier, non seulement de les concentrer, non seulement de les déporter, mais de les détruire parce qu'ils étaient juifs n'est pas chose facile. Mais il est indéniable que les nazis ne tuaient pas les Juifs parce qu'ils étaient polonais, vieux, inutiles, blonds, mariés, célibataires, boiteux ou parce qu'ils avaient mauvaise haleine : ils les tuaient parce qu'ils étaient juifs. En 1941, être juif était devenu, grâce à ceux qui cherchaient à les exterminer, la condition fondamentale de millions de personnes qui, comme Vicente, n'avaient jamais accordé une grande importance à cette caractérisation, à cette appartenance mi-religieuse, mi-ethnique, et trois quarts n'importe quoi. En 1941, être juif était devenu une définition de soi qui excluait toutes les autres, une identité unique : celle qui déterminait des millions d'êtres humains – et qui devait, également, les terminer.

Vicente avait recommencé à aller au Tortoni tous les vendredis, et le samedi aussi parfois. Dès qu'il fermait le magasin, il y retrouvait ses amis. Et les discussions avec Sammy et Ariel tournaient maintenant toujours autour du sujet qu'il avait tant cherché, avant l'été, à éviter : la situation en Europe. Au mois de mars 1941, un ami d'Ariel, François Martin, un Français exilé à Buenos Aires qui avait travaillé au ministère des Affaires étrangères jusqu'à ce que le président Lebrun nomme le maréchal Pétain à la tête du gouvernement, lui avait parlé de cette lubie (qu'il ignorait que les nazis venaient d'abandonner) qui consistait à vouloir envoyer un million de Juifs par an à Madagascar. La véritable idée de ce projet, le *Madagaskar Projekt*, élaboré par les Allemands surtout aux mois de mai et juin 1940, était de se faire céder l'île de Madagascar par la France pour se débarrasser des Juifs en constituant une île-ghetto, une réserve juive qui aurait à sa tête un gouverneur SS et dont les habitants pourraient servir d'otages garantissant la bonne conduite de leurs camarades en Amérique. Mais la manière dont les nazis avaient « vendu » l'idée à la France pouvait laisser penser qu'ils chercheraient simplement à y constituer un État juif, et c'est de cette façon que François Martin avait raconté l'histoire à Ariel.

— En fait, ce qu'ils veulent faire, les Allemands, ce n'est pas très différent de ce que veut faire ton cousin Alejo en Palestine...

— Oui, Sammy, sauf que mon cousin et ses amis de *La Idea Sionista*, ils veulent qu'on parte tous en Palestine pour être ensemble – et heureux. Je ne suis pas sûr que ce soit le cas des nazis...

— Oui, peut-être, je n'en sais rien... Moi en tout cas, je ne vois pas du tout ce que j'irais faire au fin fond de l'Afrique, surtout entouré de gens comme vous !

Ariel avait souri à ces mots prononcés par Sammy, puis il avait repris le fil de sa pensée :

— Moi non plus, je ne voudrais jamais vivre dans un pays où il n'y aurait que des Juifs. Mais là n'est pas le problème. Ce que je voulais dire, c'est que c'est ridicule d'imaginer ça. C'est absurde de vouloir nous définir de cette façon. Techniquement on est juifs. Mais pratiquement, on ne l'est pas. Que nos mères soient juives peut impliquer, pour certains, que nous aussi nous le soyons, mais ça n'empêche pas que pour d'autres, cela peut ne rien vouloir dire du tout. D'ailleurs, imagine à quel point cette définition est ridicule : si je me marie avec une goy, mes enfants ne seront pas juifs, mais si eux, à leur tour, tout goyim qu'ils soient, ils épousent une Juive, j'aurai des petits-enfants juifs ! C'est pas aberrant, ça ?

Comme d'habitude, Ariel avait une opinion très claire sur le sujet.

— Et alors ? avait demandé Sammy.

— Et alors c'est tout. Et c'est absolument terrible. Il y a un truc absolument monstrueux dans ça.

— Je ne vois pas quoi... à part le fait d'imaginer la pauvre femme qui accepterait de t'épouser !

— Très drôle... Ce qui est monstrueux, c'est qu'être le fils d'une Française ou d'une Italienne ou d'une Espagnole, ça ne te fait pas forcément français, italien ou espagnol, non ? Mais si tu es le fils d'une Juive, pour certains, tu seras inévitablement juif, même si tu ne le veux pas.

Sammy ne s'était jamais posé beaucoup de questions sur son identité. Il l'acceptait sans trop savoir ce que c'était. Ariel, par contre, n'avait jamais supporté qu'on lui dise quoi que ce soit sur sa propre personne. Alors, qu'on lui dise ce qu'il était inévitablement, ce qu'il serait éternellement... Les trois hommes se trouvaient debout autour d'une des tables de billard de l'arrière-salle. Ariel et Sammy avaient des queues à la main alors que Vicente, appuyé contre le mur, lissait le rebord de son chapeau d'un geste aussi minutieux que monotone.

— Et toi, Wincenty ? Tu en penses quoi de tout ça ?

— Je ne sais pas... Ces derniers temps, bizarrement, même si je ne sais pas vraiment ce que c'est, je me sens de plus en plus juif...

Sammy, qui venait de faire une carambole, s'était tourné vers lui, intrigué. Ariel, de son côté, l'avait regardé avec douceur, en attendant la suite. Mais après avoir lâché ces mots énigmatiques, Vicente, comme si souvent ces derniers temps, s'était tu.

— Tu te sens de plus en plus juif?... Tu veux dire quoi exactement?

— Tu te rappelles Paweł, à l'armée?

Ariel avait acquiescé. Et Vicente s'était tourné vers Sammy pour lui expliquer.

— Paweł avait une mère juive et un père chrétien. Et il disait toujours que c'était bizarre, parce que si on lui demandait s'il était chrétien il disait toujours non, et ça s'arrêtait là, mais si on lui demandait s'il était juif il disait toujours non, et il se sentait coupable.

Vicente avait marqué encore un temps, comme s'il attendait que ses amis l'aident à préciser sa pensée. Mais Sammy avait juste souri et il avait fait le tour de la table pour ajuster son prochain coup, et Ariel avait allumé une cigarette en attendant que Vicente reprenne la parole. Vicente avait regardé son ami et soudain, exalté, comme enivré par les phrases qui se formaient dans sa tête, il avait développé sa théorie sur un ton des plus étranges :

— C'est comme si c'était ça la différence. C'est comme si être chrétien, c'était appartenir à une meute où tout le monde se moque de ce qu'on ressent, alors qu'être juif, c'était accepter une origine mais pas pour être avec d'autres, juste pour être seul, et malheureux. C'est comme si cette origine juive était une grosse valise qu'il allait falloir se trimballer pendant toute notre existence. Une grosse valise pleine de vieux manuscrits écrits d'une écriture illisible... d'une écriture illisible d'une langue qu'on ne parle même pas ! C'est comme si être juif, parce que ce n'était pas une nationalité, parce qu'on n'avait pas de territoire, devenait comme... comme un héritage tellement lourd... tellement immense... Comme si à force de naître dans des territoires étrangers, on avait dû se convaincre que le territoire n'était pas important mais que quelque chose de plus fort nous définissait – quelque chose de plus fort, mais de beaucoup plus pénible, quelque chose d'inébranlable qui rendait notre identité inéluctable, irrévocable. Et pourtant, aussi, absolument impossible à partager.

Sammy s'était de nouveau arrêté de jouer. Comme Ariel, il regardait Vicente, stupéfait par la quantité de mots qu'il avait prononcés. Vicente, de plus en plus fiévreux, et de plus en plus désespéré, presque au bord des larmes, avait continué :

— Et cette identité incroyable, douloureuse, absurde et incontestable à la fois, elle a aussi quelque chose de merveilleux... Un peuple sans État, une manière de survivre comme si on était vraiment une communauté, mais une communauté qui n'est pas échafaudée sur des rois, sur une langue, sur une terre qu'on partage, ou sur des guerres qu'on a partagées... même pas vraiment sur un dieu, puisque presque plus personne n'y croit... mais juste sur quelques livres et un petit tas de souvenirs qu'on se rappelle à peine...

— Et aussi sur l'idée stupide que quelqu'un nous a choisis, non ? Sur l'idée qu'un dieu nous a choisis pour quelque chose. Même si personne ne sait au juste quoi.

Le regard toujours fébrile, Vicente avait posé ses deux mains sur les bras d'Ariel.

— Oui, oui, c'est ça ! C'est exactement ça ! On est différents. On est différents de tout, on est différents de tous. On est différents de quoi que ce soit. C'est la seule chose qui compte. On est le seul peuple sans armée, sans État. Et on a été élus, mais on n'a jamais vraiment su pourquoi on avait été élus. On a été élus seulement pour se poser la question de pourquoi on a été élus ! C'est ça ! On est juifs. Je suis juif. Mais on ne sait pas ce que c'est. On ne sait absolument pas ce que c'est. Et le plus beau et le plus triste à la fois, c'est qu'on n'arrêtera jamais de se le demander, et qu'on ne le saura jamais.

Vicente avait regardé fixement son ami. Ses yeux étaient si ardents qu'Ariel, effrayé par son exaltation, avait eu un geste pour le calmer. Mais c'est le rire éclatant et bref de Sammy qui l'avait tiré de cet état d'ivresse nerveuse. Vicente avait souri – et il s'était repris. Il avait allumé une

Commander et il avait continué d'une voix fragile et hésitante :

— Et… et je ne sais pas… je crois… aujourd'hui je crois que… que même si c'est beau et triste à la fois, on peut être plutôt fiers de ça.

Vicente avait lâché les bras de son ami d'adolescence mais Ariel, à présent amusé par ce coup d'éclat, avait passé sa main d'ours autour de ses épaules pour le garder auprès de lui. Sammy les avait regardés en souriant :

— Mais s'ils arrivent à envoyer tous les Juifs à Magadascar, qu'est-ce qu'on va devenir ? C'est quoi qui va nous distinguer ?… On va avoir un pays, et on va devenir comme tous les autres, non ?

— À Ma-da-ga-scar, avait corrigé Ariel.

— S'ils y arrivent, il va falloir changer. Il va falloir qu'on apprenne à être juifs d'une autre manière, comme on est polonais ou russes. Ou argentins. Comme on est tant de choses qui finalement ne sont jamais vraiment rien. Des choses qui n'ont aucune importance, des choses qui passent comme passent les saisons…

Après ces propos plus posés, Vicente avait fait son minuscule sourire habituel pour engager Sammy à continuer de parler.

— Je suis d'accord avec toi. Moi, je me suis toujours senti russe, j'ai été sûr d'être russe… et puis, six mois après qu'on a débarqué ici, j'étais déjà sûr que je n'étais plus russe mais argentin. C'est comme pour le foot : quand on est arrivés, comme mon père avait trouvé ce petit appartement à Nuñez, j'ai été fan de River. Alors que maintenant, je suis prêt à me battre avec n'importe qui pour défendre le maillot bleu et or de Boca.

Vicente l'avait remercié pour ces mots en hochant la tête, puis s'était tourné vers Ariel :

— Et toi ?

— Oui, moi aussi, je suis d'accord. Moi aussi, je pourrais dire que je n'en sais rien... Juif?... Pas juif?... Ça dépend si ma mère est dans les parages !... Alors, pour ce qui est de Madagascar, c'est sûr que ce sera sans moi. C'est comme les fêtes : c'est toujours plus amusant d'aller à celles auxquelles on n'est pas invité.

Les trois amis avaient commandé trois nouveaux gins, et Ariel et Sammy avaient recommencé à jouer au billard pendant que Vicente finissait sa cigarette. Ariel avait raté son coup, et Sammy avait aligné trois caramboles de suite et il avait remporté la partie. Ariel, tout en recommençant à parler, lui avait payé les trente pesos qu'ils avaient pariés.

— Avant, en Grèce, et même à Rome, lorsqu'on perdait, c'était parce que les dieux l'avaient voulu. Et puis après, pour les chrétiens, c'était parce que leur dieu les avait abandonnés. Nous, Juifs, on perd toujours à cause des autres. C'est toujours la faute des autres. Tout, toujours, est la faute des autres. Mais, justement, c'est comme si tout toujours était la faute des autres pour nous prouver à nous-mêmes que nous sommes uniques. Que nous sommes bien les élus, puisque nous sommes les seuls à souffrir tellement. Et à penser tellement ! En fait, ils nous en veulent tous, ils nous en veulent parce qu'ils nous envient, parce qu'ils sont tous jaloux de notre souffrance. Ils veulent nous humilier parce que nous sommes les plus malheureux, parce que nous sommes « extraordinairement désespérés ».

Vicente avait regardé Ariel avec une grande affection et il avait conclu par ces mots :

— C'est vrai. Notre bonheur est le résultat d'un malheur extrême.

Wincenty, mon Wincenty, mon cœur, mon enfant,

Tout est devenu compliqué ici. Beaucoup de voisins de l'immeuble sont morts ces derniers mois. Berl soigne des gens pour quelques złotys, mais la plupart n'ont plus de quoi payer. On ne sait pas ce qu'on va devenir. Il y a bien Shlomo qui nous aide parfois un peu, mais même pour lui les choses sont devenues difficiles. Les Allemands ne nous parlent plus, ils nous traitent comme des animaux. Dans les rues les gens meurent de faim, et on ne s'arrête même plus pour contempler les cadavres. Hier, j'ai vu par la fenêtre une femme qui faisait des allers et retours sur le trottoir. Elle a fait ça pendant des heures, son enfant mort dans les bras. Elle pleurait et elle hurlait et elle serrait son enfant mort et elle le montrait aux passants, aux centaines, aux milliers de passants. Et personne ne la voyait. Personne. Personne ne voyait son enfant mort. C'était comme s'il n'existait pas. Heureusement que tu es loin d'ici, mon Wincenty chéri. Et heureusement que ta sœur a pu partir en Russie.

Ta mère qui pense toujours à toi

Vicente avait reçu cette lettre, postée dans le ghetto de Varsovie le 6 septembre 1941, le matin du 13 octobre. Il avait croisé le facteur en revenant de l'école où il avait déposé les filles, il était monté et il avait lu la lettre pendant que Rosita repassait lentement les vêtements des enfants et que Juan José jouait dans son petit parc. Lorsqu'il avait fini de la lire, son regard s'était perdu dans le vide insondable qui s'étendait au-delà des murs de leur petit appartement. Rosita avait tout de suite remarqué son désarroi et, timidement, sans s'arrêter de repasser le minuscule pyjama de leur fils, elle lui avait demandé ce que sa mère « racontait ».

— Dis-moi… Qu'est-ce qu'elle raconte ?

« Qu'est-ce qu'elle raconte ? » Vicente avait regardé Rosita un long moment sans prononcer le moindre mot. Puis, sans réfléchir, il lui avait tendu la lettre. Rosita lui avait fait un petit sourire triste et avait murmuré des mots tendres de reproche :

— Tu sais bien que je ne parle pas le polonais…

Vicente avait contemplé sa femme. Touché par sa bienveillance, ou par sa pitié, il s'était excusé. Puis il lui avait dit ce que disait la lettre de sa mère. Il le lui avait dit doucement, lentement, comme s'il parlait du temps qu'il ferait le lendemain, ou plutôt du temps qu'il avait fait la veille, c'est-à-dire de quelque chose de négligeable et d'inéluctable à la fois. Il lui avait dit à peine que tout était de plus en plus dur à Varsovie. Il lui avait dit à peine que sa mère était heureuse qu'il soit à Buenos Aires et que sa sœur soit en Russie. Il lui avait dit à peine que sa mère et son frère étaient encore en vie. Il lui avait dit à peine tout cela. Il le lui avait dit à grand-peine : il avait fait un effort intense pour mettre des mots derrière des mots et former des phrases et les confier à sa femme.

Au moment où Vicente, toujours avec un effort intense, et toujours du même ton monocorde, lui avait parlé de cette femme qui hurlait, son enfant mort dans les bras, Rosita s'était arrêtée de repasser et elle s'était approchée de son mari. Toujours assis, Vicente avait laissé l'enveloppe glisser de sa main vers le sol. Rosita avait pris sa tête et, debout à ses côtés, elle l'avait serrée contre son ventre.

Ce même jour, à douze mille cinq cents kilomètres de Buenos Aires, pas très loin de Königsberg, dans la petite ville de Rastenburg, près de la Wolfsschanze, la *tanière du loup*, le quartier général de Hitler, le Reichsführer Heinrich Himmler rencontrait le chef de la SS et de la police du Gouvernement général, Friedrich-Wilhelm Krüger, et le chef de la SS et de la police du district de Lublin, Odilo Globočnik. Ces trois hommes se connaissaient, ils s'étaient déjà vus à Berlin ainsi qu'à Lublin, où Himmler se rendait souvent. Ils avaient déjà parlé de ce qu'on appelait encore la « solution territoriale » de la question juive : l'idée de déporter tous les Juifs d'Europe, non plus à Madagascar, mais vers l'Est. Krüger s'était déjà inquiété des conséquences et des détails techniques, et Globočnik s'était déjà enthousiasmé pour sa mise en œuvre pratique. Mais ce fut seulement ce jour-là, ce 13 octobre 1941, que tous les trois avaient passé deux heures ensemble à discuter sérieusement de ce qui deviendrait le premier massacre institutionnel et industrialisé de l'histoire de l'humanité.

Dès le début du nazisme, la bureaucratie allemande avait pu s'appuyer sur des précédents et se référer à des recettes établies par la chrétienté ; ses fonctionnaires avaient pu puiser à volonté dans une vaste réserve d'expérience administrative que l'Église et l'État leur avaient constituée. Quels étaient ces précédents, quelles étaient ces recettes, en quoi consistait cette expérience ? Dans les mille cinq cents ans qui s'étaient déroulés depuis que le christianisme était devenu une religion d'État et au cours desquels une progression on ne peut plus cohérente avait élaboré un discours qui avait commencé par dire aux Juifs : « Vous n'avez pas le droit de vivre parmi nous si vous restez juifs », puis : « Vous n'avez pas le droit de vivre parmi nous », pour en arriver enfin à : « Vous n'avez pas le droit de vivre. » Dès janvier 1939, Hitler avait formulé la « prophétie » de l'anéantissement total de la race juive en Europe. Mais ce ne fut que durant l'été boréal de cette année 1941 qu'une succession de décisions prises à Berlin devait dessiner les contours du massacre qui allait avoir lieu dans les quatre années à venir. Au début du mois de juillet, convaincu, comme il l'avait précisé à son ministre de la propagande, Joseph Goebbels, que « la guerre à l'Est était déjà pratiquement gagnée et que les bolcheviques ne se relèveraient jamais des défaites qu'il leur avait fait subir », Hitler avait annoncé qu'il souhaitait la déportation de *tous* les Juifs des territoires occupés par l'Allemagne vers des camps de travail en Pologne, puis encore plus à l'Est, en Union soviétique, dès que la conquête serait terminée. Emporté par l'euphorie des premières victoires, Hitler pensait que le Gouvernement général était appelé à devenir un paradis aryen. « Nous devons faire de ce territoire un Jardin d'Éden. » Les nazis avaient déjà assassiné des milliers de Juifs, et ils continuaient de le faire. Ils les laissaient mourir de faim ou de maladies dans les ghettos, ils exterminaient ceux qui pouvaient travailler lentement par le travail, et les autres, ceux qui étaient incapables de travailler, en les assassinant par balle dès que les trains arrivaient dans les camps. Mais au mois de septembre 1941, ils avaient compris que cette méthode d'assassinat par balle ne pouvait pas fonctionner en vue du massacre à venir – celui de plusieurs millions de personnes. Elle ne pouvait pas fonctionner pour deux raisons : les soldats éprouvaient des problèmes psychologiques à force de tuer des Juifs de sang-froid, et le coût en munitions était trop élevé. Au mois de juillet, comme au début du mois d'août, il manquait encore une véritable planification, c'est-à-dire des idées concrètes sur le nombre, sur l'horizon temporel et les lieux de mise à mort. À la fin de l'été, le Obersturmbannführer Adolf Eichmann avait été convoqué dans le bureau de son supérieur hiérarchique, Reinhard Heydrich, directeur du RSHA, qui lui avait dit : « Le Führer vient d'ordonner la destruction physique des Juifs. » Mais la décision concrète d'une nouvelle façon de les tuer tous – c'est-à-dire non plus de les laisser mourir de faim ou de maladies, de les épuiser au travail ou de leur tirer une balle dans la tête, mais de les supprimer d'une manière industrielle – fut prise au tout début du mois d'octobre. D'après Goebbels, prendre cette décision avait mis Hitler dans un excellent état d'esprit. Voilà ses propres mots au sortir d'un entretien avec lui le 4 octobre : « Il a l'air superbe et son humeur est outrancièrement optimiste : il irradie d'optimisme. »

Neuf jours plus tard, le 13 octobre 1941, le jour même où Vicente à Buenos Aires recevait la lettre de sa mère, à Rastenburg, alors que l'automne avait déjà couvert le ciel de grisaille et que l'hiver s'annonçait rude, alors qu'une première neige sale poudrait les toits et les rues pavées, dans une pièce du château des chevaliers teutoniques en buvant du cognac ou alors en déjeunant dans l'un de ces restaurants sombres, pleins de bois collant imbibé d'odeur de bière, qui se trouvaient dans le centre-ville, Himmler avait informé Krüger et Globočnik de la « décision historique » de Hitler. Il leur avait dit que cette idée qui avait commencé de germer au début de l'été dans la tête du Führer – se débarrasser définitivement de tous les Juifs – allait enfin être mise à exécution. Himmler savait que Krüger et surtout Globočnik, avec qui il s'était entretenu le 20 juillet à Lublin, attendaient avec impatience une décision de cette nature. Et il avait souri en entendant Globočnik proposer aussitôt des plans d'une portée, selon ses propres mots, « considérable », comprenant la création d'un camp avec des chambres à gaz à Bełżec. Himmler avait donné son accord de principe et avait approuvé le choix du site, proche des voies ferrées et de fortifications frontalières dotées de fossés antichars qui serviraient à ensevelir les corps. Quinze jours plus tard, des ouvriers polonais avaient entrepris la construction de ce camp, qui allait devenir le premier camp non seulement de concentration, mais d'extermination. La décision avait été prise et son application commençait d'être mise en œuvre : la solution ne serait plus « territoriale », elle était devenue « finale ».

Vicente, bien sûr, n'était pas encore au courant de tout ça. Il ne savait pas que les Allemands avaient commencé la construction des camps d'extermination et il ignorait également, malgré ce que lui avait écrit sa mère, les véritables conditions de vie dans le ghetto de Varsovie. Il ignorait que dans le ghetto les nazis tuaient les Juifs, « simplement » si l'on peut dire, en laissant se propager des épidémies de typhus et de tuberculose, et en les affamant. Plus tard, il saurait. Il saurait que fin 1941 un Juif du ghetto mangeait en moyenne 180 calories par jour, c'est-à-dire 15 % du minimum vital, comme il saurait qu'une sortie du ghetto, qui quelques mois plus tôt était passible d'une amende de mille złotys et de trois mois de prison, était sanctionnée déjà par la peine de mort.

Après avoir dit à Rosita ce que disait la lettre de sa mère, Vicente s'était tu. Il avait accepté pendant un court instant le réconfort de sa tendresse, puis il s'était levé. Il avait pris sa veste, il avait pris son chapeau, et il s'était dirigé vers la porte de l'appartement. Rosita s'était approchée encore une fois de lui et encore une fois elle l'avait serré dans ses bras. Vicente avait accepté ce nouveau geste d'affection. Puis, toujours sans un mot, il avait fait un infime sourire à sa femme, il avait adressé un infime regard à son fils, et il avait quitté l'appartement. « Que sont les mots ? À quoi ils servent ? Pourquoi lui parler ? Pourquoi essayer de lui dire ce que je ne peux même pas me dire à moi-même ? Il faudrait que je lui raconte toute l'histoire. Depuis le tout début. Depuis que je suis parti de Varsovie. Ou depuis qu'on est partis de Chełm quand j'avais douze ans. Mais comment lui raconter tout ça ? Comment lui raconter maintenant ? Comment lui raconter maintenant alors que je ne lui ai jamais rien raconté pendant toutes ces années ? Pourquoi jusqu'aujourd'hui je n'ai jamais éprouvé le besoin de lui parler de mon passé ? Pourquoi je ne lui ai jamais dit à quel point je me suis senti polonais ? À quel point j'ai voulu être allemand ? Pourquoi je ne lui ai jamais parlé de l'université ? de Varsovie ? de la honte que j'ai éprouvée la première fois où ces étudiants polonais se sont moqués de moi parce que j'étais juif ? Pourquoi je ne lui ai jamais dit que la honte avait été tellement plus forte que la rage ? Et pourquoi lorsque je lui ai dit que je voulais sauver ma famille, lorsque je lui ai dit que je voulais gagner assez d'argent pour que ma mère et mon frère et ma sœur puissent fuir la Pologne et venir vivre à Buenos Aires avec nous, pourquoi, même à ce moment-là, je ne lui ai pas dit ce que je voulais qu'ils fuient ? Pourquoi je ne lui ai jamais dit à quel point j'ai aussi été soulagé de m'éloigner de ma mère, de mon grand frère, de ma grande sœur ? Pourquoi je ne lui ai jamais dit que parfois je voulais sauver ma mère – mais que parfois je ne le voulais pas ? Et elle, pourquoi n'a-t-elle jamais éprouvé le besoin de me raconter comment sa mère et son père avaient fui les pogroms ? Pourquoi, depuis qu'on

se connaît, nous n'avons jamais eu besoin de parler du passé ? Comment a-t-on pu vivre ensemble toutes ces années comme si le passé n'existait pas ? Comme si seuls le présent et l'avenir étaient importants ? Et maintenant, maintenant qu'il faudrait lui dire, maintenant qu'il faudrait parler aux enfants, maintenant que je devrais crier ma haine et ma peur, maintenant que je sais ce qui se passe là-bas, maintenant que je sais que jamais sans doute je ne réussirai à ce que ma mère et mon frère viennent à Buenos Aires, maintenant que je sais que jamais je ne sauverai personne, maintenant que tout me semble vide et inutile, maintenant qu'il n'y a rien d'autre qu'un vide immense qui s'étend devant moi, maintenant... est-ce que j'ai le droit de leur dire ? Est-ce que j'ai le droit de leur demander de partager ma peine ? Maintenant que je sais qu'il est mortel, est-ce que j'ai le droit de leur demander de boire une partie de ce venin qu'est ma douleur pour me soulager ? »
Depuis qu'il était sorti dans la rue, Vicente avait l'impression que sa tête allait exploser. Les mots se précipitaient les uns contre les autres, et si parfois ils composaient des phrases qu'il arrivait à comprendre, des pensées qu'il arrivait à suivre, le plus souvent ils se battaient et tombaient défaits sur le trottoir, formant de petites taches sombres comme des cafards qui se mêlaient aux déjections claires ou verdâtres des pigeons. Vicente marchait et regardait ces mots morts, piteux, déplorables, et il se disait qu'il fallait absolument

arrêter, qu'il fallait absolument tout arrêter, qu'il fallait arrêter de parler, se taire – qu'il fallait arrêter de penser. Mais il se disait cela, et aussitôt son esprit formait d'autres phrases, des phrases qui lui semblaient pouvoir trouver un autre sens. Et il marchait, et il pensait – et de nouveau tous les mots lui devenaient insupportables.

— On m'a dit que Firulete dans la troisième, c'était sûr à quatre-vingt-dix pour cent. C'est Chelo, le cousin du Flaco Gomez qui travaille chez les O'Neill, qui a parlé directement, lui-même, en personne, avec le gars qui le monte.

Avide de sentir la chaleur amicale d'Ariel et Sammy, Vicente avait commencé de se rendre au Tortoni non seulement tous les vendredis et samedis, mais aussi d'autres jours de la semaine. Il restait des heures assis avec eux, profitant de leur présence, mais le plus souvent sans prononcer le moindre mot.

— Ou alors on parie sur Acosta, qui court dans la neuvième... Et qui est juste à trois contre un... Ou sinon, dans la douzième, il y a Le Poulpe, mais lui, évidemment...

Sammy, nerveux et bavard comme d'habitude, parlait sans arrêt les yeux rivés sur les pages de turf de *Crítica*. Et pendant que Sammy parlait, Ariel contemplait Vicente qui, du bout de sa petite cuiller, jouait à pousser autour de sa tasse un carré de sucre. Après avoir reçu la lettre de sa mère, pendant les semaines qui avaient suivi, Vicente avait attendu une nouvelle lettre. Il avait espéré l'arrivée d'une nouvelle lettre dans un état de fébrilité extrême. Il l'avait espérée – et il l'avait crainte aussi. Il regrettait terriblement de ne pas avoir insisté davantage, deux ans, trois ans, cinq ans auparavant, quand il avait écrit à sa mère qu'il fallait qu'elle vienne à Buenos Aires, qu'il fallait qu'elle parvienne à convaincre son frère et sa sœur et leurs époux, et qu'ils viennent tous à Buenos Aires.

En s'installant en Argentine, et pendant toutes les années 1930, pendant toutes ces années lugubres qui avaient vu le fascisme et l'antisémitisme dévorer l'Europe, Vicente, même s'il s'était senti parfois soulagé d'avoir réussi à s'éloigner de sa mère, avait cru sincèrement que si quelque chose de mauvais arrivait en Pologne, ce serait lui qui sauverait sa famille. Mais quelque chose de pire que tout ce qu'il avait imaginé était en train d'arriver – et il ne pouvait rien faire.

Pendant les mois de novembre et décembre 1941, comme pendant les six premiers mois de l'année suivante, jusqu'au 16 juillet 1942 pour être tout à fait précis, Vicente avait continué de beaucoup lire les journaux. Il les avait lus en cherchant des pistes, des clés, des traces qui lui permettraient de comprendre ce qui se passait dans ce pays qu'il avait considéré comme sa patrie. Parfois, les journaux parlaient des déplacements de population, ils évoquaient brièvement les ghettos, les camps de travail, mais les informations étaient toujours confuses. La plupart du temps les nouvelles étaient incomplètes, et toujours accompagnées de « peut-être », de « on dit », de « sans doute », de « certains affirment » qui laissaient imaginer quelque chose de moins terrible que ce qui était effectivement en train de se produire. L'article le plus alarmant avait été publié par *La Nación* le 18 février 1941. Il rapportait des déclarations d'Anthony Eden qui ne laissaient planer aucun doute sur le sort des Juifs en Allemagne et dans les territoires occupés par les nazis. Le secrétaire d'État aux Affaires étrangères britannique parlait des ghettos, des déportations et d'exécutions massives. Mais ses propos n'avaient pas été confirmés par ceux d'autres politiciens ou d'autres observateurs, et ils s'étaient perdus dans le brouhaha constant et inconsistant de l'actualité.

Comme à tant d'autres lecteurs, les journaux avaient permis à Vicente de savoir – et de ne pas savoir. Ils lui avaient permis de ne pas savoir, par exemple, que le premier ensemble d'opérations en vue de l'anéantissement des Juifs – qui consistait à envoyer des petites unités mobiles qui accompagnaient l'armée et exterminaient la population juive au fur et à mesure qu'elle avançait – avait déjà commencé. Ils lui avaient permis de ne pas savoir que ces « petites unités », les Sonderkommandos et les Einsatzkommandos, commettaient leurs « petits massacres » sur tout le front de l'Est : trois mille cent quarante-cinq Juifs par-ci, huit mille Juifs par-là, trente-trois mille sept cent soixante et onze Juifs un peu plus loin – au total, entre un million et un million et demi de personnes. Leur moyen d'exécution, le plus souvent, était la fusillade collective, mais ils utilisaient aussi, parfois, un moyen plus rapide : ils regroupaient tous les Juifs d'un village ou d'une petite ville dans un hangar et les faisaient sauter à la dynamite. Et lorsque les soldats allemands, après avoir assassiné tous les hommes juifs, hésitaient à achever les femmes et les enfants, ils pouvaient compter sur l'appui des milices locales, de la police locale et d'Allemands « ethniques » trouvés sur place (dont la « passion du massacre » et la « soif de sang » sont allées jusqu'à « littéralement épouvanter » le chef SS d'un Kommando).

Voilà, sommairement, ce que Vicente Rosenberg, fin 1941, début 1942, aurait pu savoir, *mais n'avait pas pu savoir*. Il aurait pu le savoir mais il n'avait pas pu le savoir parce que les journaux, donnant une version incertaine des atrocités qui avaient lieu, de ces atrocités commises par des milliers et des milliers d'hommes et devant lesquelles d'autres milliers et milliers d'hommes fermaient les yeux, ne parlaient pas de l'horreur crue de la réalité. Les journaux ne parlaient pas de cette horreur, et les gens n'en parlaient pas non plus. De la même manière que la plupart des

Argentins, quarante ans plus tard dans cette même ville de Buenos Aires, allaient refuser de croire que la dictature militaire avait fait des milliers de disparus, les gens, en Allemagne, en Pologne, en Tchécoslovaquie, en Hongrie, en Roumanie, dans les pays baltes, en Crimée, en Ukraine, en Russie, comme partout dans le monde, préféraient ne pas parler, ne pas savoir. Tout le monde préférait ne pas parler de cette horreur pour une raison élémentaire et intemporelle : *parce que l'horreur crue de certains faits permet toujours, dans un premier temps, de les ignorer.*

La lettre de sa mère, brusquement, avait ouvert les yeux de Vicente. Elle ne les lui avait pas ouverts définitivement ou entièrement, mais elle les lui avait ouverts suffisamment pour qu'il distingue quelque chose qui se trouvait bien au-delà de ce qu'il avait imaginé jusque-là, quelque chose de beaucoup plus monstrueux que ce que disaient les phrases qu'elle avait alignées. En la lisant, Vicente avait éprouvé une sensation diffuse, il avait aperçu des signes flous, comme des mots secrets, imprononçables, cachés derrière les mots simples qui la composaient. Il avait vu et entendu des choses qu'il ne pouvait pas expliquer, qu'il ne pourrait pas répéter – mais qui n'allaient plus jamais quitter son esprit. Vicente ne savait toujours pas toute l'atrocité de la réalité de ce que vivait sa mère, de ce que vivait son frère, des conditions dans lesquelles ils vivaient chaque jour, mais il en savait assez pour ne plus pouvoir vivre comme il avait vécu jusque-là. C'est pour ça qu'il avait choisi, sans en avoir encore tout à fait conscience, de se taire.

« Je comprends qu'il ne veuille pas parler de sa mère, mais pourquoi ne peut-il pas parler d'autre chose ? Pourquoi la parole semble-t-elle le brûler comme si chaque mot qui pouvait sortir de sa bouche était une petite larme de lave ? Si ça continue, on va tous oublier le son de sa voix. Même Rosita. Même ses enfants. Même moi qui le connais depuis toujours. » Au Tortoni, Ariel regardait fixement son ami d'adolescence jouer avec son carré de sucre. Il le regardait sans aucune retenue. Et Vicente ignorait son regard avec la même impudeur, avec la même indiscrétion. « Mais ce qui est le plus étrange, c'est comme son regard a changé. C'est comme si maintenant il pouvait tout exprimer sans le moindre mouvement de ses lèvres. Même s'il n'exprime que de la disgrâce, il l'exprime avec tant d'assurance et avec tant de nuances que tout semble dit. Oui, son regard est devenu beaucoup plus bavard que ne l'était sa bouche du temps où il parlait encore. C'est comme s'il y avait une quantité très grande et en même temps très définie de choses à dire et qu'elles avaient juste trouvé une autre forme d'expression, un nouveau langage qui leur convenait à merveille. » Ariel contemplait Vicente, qui continuait de pousser le petit carré de sucre avec sa petite cuiller, sans s'arrêter un seul instant de réfléchir à ce qu'était devenue l'existence de son ami. Il voyait les yeux de Vicente se perdre dans le sucre, puis plus loin, puis revenir au sucre et finalement se lever, pour se poser sur son visage ou sur celui de Sammy. Ariel regardait le regard de Vicente aller et venir et il comprenait que ce regard avait acquis une acuité nouvelle, une acuité qui le rendait absolument précis, et absolument indéchiffrable à la fois. Absolument indéchiffrable, mais empreint d'une telle souffrance. « Je n'aimerais pas être à sa place. Dieu non ! je n'aimerais pas être à sa place ! »

— Mais sinon au pire on peut toujours parier sur Romántico dans la cinquième. Ça ne rapporte pas grand-chose évidemment, mais bon... ce sera toujours ça de pris...

— Oui, d'accord, si tu veux, pourquoi pas...

Alors qu'Ariel faisait parfois l'effort de répondre à Sammy, qui continuait de parler absorbé par les pages de turf du journal, Vicente jouait avec son sucre, n'écoutant pas le moindre mot de ce que disait le jeune homme. Concentré sur le vide désespéré dans lequel il vivait depuis quelque temps, Vicente était fasciné par la blancheur lisse de la coupelle sur laquelle était posée la petite tasse, par la blancheur perlée du sucre et par la blancheur veinée du marbre de la table. Il ne savait pas au juste quoi, mais quelque chose dans la blancheur en général l'attirait de plus en plus. Ses pensées semblaient s'enfuir vers cette couleur, et s'y perdre, comme dans l'espace illimité d'un autre silence.

— Ou alors on oublie San Isidro et on va direct au troquet dont parlait Samuel…

À force de le pousser, Vicente avait fini par faire tomber le carré de sucre. Et sans savoir au juste pourquoi, ça l'avait amusé. Il avait souri, puis, sans faire le moindre bruit, il avait posé méticuleusement la petite cuiller sur le bord de la coupelle et il s'était levé.

— Je vais juste…

Vicente n'avait pas fini sa phrase. Dire trois mots lui demandait déjà un tel effort. Ariel et Sammy l'avaient regardé s'éloigner vers l'entrée du café sans s'inquiéter. Depuis quelques semaines, ils avaient remarqué que Vicente ne rentrait presque jamais du Tortoni directement chez lui. Bien qu'il fût le seul à avoir une femme et des enfants, il les accompagnait, quoi qu'il arrive, selon les jours, soit à l'hippodrome de Palermo, soit à celui de San Isidro, soit au poker.

Ce jour-là pourtant, ce 17 janvier 1942, Vicente était sorti rapidement du café et il était parti en direction de la rue Paraná. Une affaire ratée l'avait contraint à annuler les vacances d'été à la dernière minute et, se sentant un peu coupable envers Rosita et les enfants, qui avaient juste passé une dizaine de jours à Mar del Plata, sans lui, au tout début du mois, il avait décidé de rentrer à la maison pour le dîner.

— On peut avoir du rab ?

— On peut ?

— Oui, on peut, on peut ?

Après avoir resservi les enfants, Rosita s'était tournée vers son mari.

— Tu veux un peu plus de gnocchis, chéri ?

Alors qu'en sortant du Tortoni il avait senti que sa femme et ses enfants lui manquaient, alors qu'il avait décidé de rentrer directement à la maison pour être à leurs côtés, et alors qu'il était si rare ces derniers temps qu'il leur fît l'honneur de dîner en leur compagnie, une fois à table, Vicente, comme il le faisait depuis plusieurs semaines déjà, n'avait pas prononcé le moindre mot. Rosita ne ménageait pas sa peine, jour après jour, pour lui parler encore. Malgré son silence, elle lui parlait comme si de rien n'était, comme si tout était normal dans leur vie.

— Tu n'en veux pas ? Tu es sûr ?

Vicente avait fini par lever ses yeux du vide dans lequel ils étaient perdus vers le vide qu'il voyait dans ceux de sa femme, encore pleins de tendresse et d'inquiétude pourtant. Il l'avait regardée, mais il n'avait pas répondu à sa question. Pourquoi répondre ? Quelle différence pouvait-il y avoir entre le fait de manger plus ou moins de gnocchis ? Il acceptait, depuis des mois déjà, de se nourrir, de respirer. Il acceptait, depuis des jours et des jours, de vivre, de rester en vie. N'en était-ce pas déjà assez ? N'en était-ce pas déjà trop ? Après un moment, Vicente avait tourné son regard vers ses enfants. Son fils, qui venait d'avoir quatre ans, poursuivait ses derniers gnocchis blancs sur la faïence blanche de son assiette. Vicente l'avait regardé juste un instant, et le vide avait gagné encore un peu en lui. Il avait regardé son visage, ses yeux, puis sa main, sa fourchette, les gnocchis et l'assiette ; et soudain une étincelle dans son cerveau avait déclenché une série de flashs qui lui avaient fait comprendre ce que cette blancheur lui rappelait. L'assiette de son fils, ses gnocchis, comme le sucre et la coupelle de la tasse et le marbre de la table au Tortoni, avaient ressuscité en lui le souvenir de la neige, la neige de Pologne, la neige de son enfance – la neige qui en ce moment même devait recouvrir les champs autour de Varsovie, et la boue et les rues du ghetto, où il espérait que sa mère et son frère étaient encore en vie.

Vicente s'était tourné vers ses filles. Elles avaient fini de manger et guettaient, comme leur mère, l'éventuelle et improbable fin de son silence. Vicente avait croisé leur regard avant de replonger rapidement le sien, sans un mot, sans un soupir, sans un sourire, dans le néant qui s'étendait au-delà de la table. Les regards de ses filles aussi étaient pleins de tendresse et de questions, mais Vicente ne voyait plus, partout, que du vide inutile – ou de la neige, tout aussi inutile. « Si jamais elle a été arrêtée, j'espère qu'elle a réussi à garder son châle. C'est tout. Juste ça : son châle en laine rose. Je ne demande que ça, mon Dieu. Je ne demande que ça, mon Dieu en qui je n'ai jamais cru. Je demande que maman, si elle a été arrêtée, soit tombée sur un soldat allemand assez humain pour comprendre que ce châle en laine rose ne pouvait faire de mal à personne. »

Les rares fois où il se laissait aller à penser à une réalité possible que sa mère affrontait, Vicente s'attachait à des détails si futiles, si fuyants, si insignifiants. « Est-ce qu'elle peut se laver les mains avant de manger ? » Jamais Vicente n'avait vu sa mère manger le moindre aliment sans se laver les mains auparavant. Et brusquement, songer que si jamais elle était dans un de ces camps de travail dont on commençait de parler elle devrait manger chaque jour sans se laver les mains auparavant le remplissait de rage. « Non. Non non non non non. Je ne veux pas. Je ne veux pas penser. Je ne veux pas penser à elle. Je ne veux pas penser à ce qu'elle peut, à ce qu'elle ne peut pas. Je préfère ne pas penser à ça. Ni à ça ni à rien d'autre. Non. Non, non et non. Je ne veux pas. Je ne veux plus penser. Plus jamais. »

— Je peux prendre ton assiette, papa ?

— Oui...

Vicente avait répondu, puis il avait regardé sa fille aînée lui sourire. Elle lui souriait avec une infinie douceur, avec une infinie bonté, mais, totalement ailleurs, il lui avait répondu machinalement, sans vraiment comprendre ce qu'elle demandait. Il avait répondu d'un « oui » totalement absent, un « oui » qui ne voulait absolument rien dire.

— Oui, pardon, ma chérie. Oui, tu peux, bien sûr.

Revenu dans le présent grâce à son sourire, il s'était repris et il avait finalement réussi à articuler quelques mots. Ercilia avait souri encore.

— Merci, mon capitaine !

Et alors qu'elle prenait son assiette sale, au lieu de la laisser partir avec vers la cuisine, il l'avait attrapée tendrement par le poignet pour la faire asseoir sur ses genoux. Ercilia avait reposé l'assiette sur la table et sa tête sur son épaule ; et ils étaient restés ainsi, en silence, tous les deux collés l'un à l'autre dans la salle à manger déserte.

Trois jours plus tard, le 20 janvier 1942, dans une villa très calme isolée dans un grand parc d'un quartier chic au sud-ouest de Berlin, à quelques kilomètres à peine du centre de la ville, s'était tenue la fameuse conférence de Wannsee. Quinze des plus hauts responsables du IIIe Reich s'étaient retrouvés là pour discuter de l'organisation administrative, technique et économique de la « solution finale de la question juive » voulue par Hitler. Pour mettre en œuvre cette entreprise proprement industrielle, le Reichsmarschall Hermann Göring, Himmler, Heydrich et Eichmann avaient besoin d'une partie des ressources matérielles et humaines du régime à un moment où elles étaient déjà utilisées pour un tout autre défi logistique – celui de la guerre. Et c'est principalement pour éviter que certains éléments de l'appareil d'État (ministères, tribunaux, état-major de l'armée) ne fassent obstacle ou refusent de coopérer, qu'il avait été décidé d'inviter à cette réunion tous les dirigeants concernés et de leur exposer le projet en cours et la méthode prévue pour son exécution. Heydrich avait ouvert la conférence en rappelant les mesures antisémites adoptées par Hitler depuis l'arrivée des nazis au pouvoir et en se félicitant qu'entre 1933 et 1941 cinq cent trente mille Juifs aient émigré d'Allemagne et d'Autriche. Il restait « malheureusement », d'après ses chiffres, à peu près onze millions de Juifs vivant en Europe et dans l'empire colonial français. L'exposé de Heydrich avait duré près d'une heure. Il avait été question des détails logistiques et organisationnels concernant le sort de ces Juifs qui devaient, selon les formulations du texte du protocole de la conférence, être « évacués » vers l'Est pour recevoir « un traitement approprié ». Le but – qui d'après ce qu'Eichmann devait déclarer à son procès vingt ans plus tard avait été discuté ouvertement dans des conversations informelles autour d'un verre de cognac après la conférence pour que tous les participants le comprennent parfaitement – était qu'à la suite de ce qu'ils avaient à accomplir, il n'y ait plus jamais de problème juif à résoudre : une petite partie des Juifs devait être utilisée pour des travaux liés à l'effort de guerre et le reste, l'immense majorité, devait être assassiné dans des camps d'extermination.

Onze millions de personnes. Onze millions de personnes à assassiner. Peut-on penser l'impensable ? Peut-on comprendre l'incompréhensible ? Peut-on imaginer ce que personne n'a jamais vu, ce que personne n'a encore jamais cru que l'homme serait capable de faire ? Il y a des événements, de temps en temps, qui renouvellent ce que nous sommes capables d'imaginer, qui amplifient le domaine du possible jusqu'à des limites que personne auparavant n'avait supposé qu'on pourrait atteindre.

Jusqu'à l'été 1942 pourtant, les dispositions prises à Wannsee n'ont pas pu être respectées. D'une part, comme les centres d'extermination n'étaient pas encore tous fonctionnels, il a fallu continuer de concentrer les Juifs dans des ghettos en attendant leur mise en service. D'autre part, après l'enthousiasme du mois d'octobre 1941 suscité par l'avancée fulgurante de la Wehrmacht, la défaite allemande devant Moscou au mois de décembre avait conduit à une large révision des priorités : l'euphorie née de l'espoir d'un triomphe rapide avait cédé la place à la perspective d'une guerre de longue durée et au constat que les réserves de nourriture ne suffiraient pas à alimenter la population d'Allemagne et des territoires occupés. Les nazis allaient donc déporter tous les Juifs d'Europe vers les camps situés à l'Est mais ils n'allaient pas en assassiner directement autant qu'ils l'avaient souhaité. En fait, les vies de millions de Juifs allaient dépendre, de l'automne 1941 au printemps 1942, de comment les Allemands résolvaient, au jour le jour, le délicat équilibre entre les tuer pour qu'ils ne mangent pas la nourriture dont ils avaient besoin pour poursuivre la guerre et les laisser vivre pour qu'ils fabriquent les armes dont ils avaient besoin pour poursuivre la guerre. Mais cette indécision quant à la manière de traiter les Juifs – les assassiner tout de suite ou les tuer après les avoir fait travailler – n'allait pas empêcher de commencer à compter les victimes par millions. Dans le seul district de Lublin, dont s'occupait Odilo Globočnik, plus ou moins un million de Juifs déportés allaient être jugés inaptes au travail et tués dès leur arrivée dans les camps.

Vicente s'était-il douté de la sinistre immensité de ce qui se passait en Europe ? Avait-il su ce qui menaçait réellement son frère et sa mère au-delà de la misérable vie, et de la misérable mort, du ghetto ? Non. Malgré les lettres de sa mère, comme la plupart des Juifs dans le monde, Vicente n'avait pas pu imaginer ce qu'il allait savoir plus tard. Il n'avait pas pu supposer que des milliers de personnes étaient assassinées chaque jour, que des milliers de personnes étaient chaque jour abattues d'une balle dans la tête ou conduites dans des chambres à gaz, que des milliers de corps étaient brûlés dans ces fours dont les flammes touchaient le ciel.

Depuis qu'il avait commencé d'entrevoir ce qui se passait en Europe, Vicente s'était senti de plus en plus juif. Mais cela ne servait toujours pas à le rassurer. Avant 1939, Vicente s'était beaucoup demandé s'il était ceci ou cela, argentin ou polonais, juif ou athée. Et il avait soulagé sa conscience, ou alors l'avait-il tourmentée, en songeant que ne sachant pas du tout ce qu'il avait de commun avec lui-même, avec celui qu'il avait été la veille ou avec celui qu'il serait le lendemain, avec celui qu'il était lorsqu'il était ivre de bonheur ou celui qu'il était lorsqu'il était ivre de rage, avec celui qu'il avait été lorsqu'il était enfant ou celui qu'il serait lorsqu'il serait grand-père, comment pourrait-il savoir ce qu'il avait en commun avec n'importe quel Argentin ou avec n'importe quel Juif dont il ignorait absolument tout ? « L'homme est si peu de chose qu'il ne connaît ni le goût de sa chair ni la date de sa mort. Pourquoi lui demander de donner une réponse simple et concise aux questions que pose cette chose mystérieuse et mouvante qu'on appelle l'identité ? » Voilà ce que Vicente avait souvent pensé par le passé. Maintenant, des idées aussi complexes ne se formulaient plus dans son esprit. Maintenant, il se sentait juste de plus en plus juif – sans que cela le soulage en quoi que ce soit.

Franz, le jeune vendeur allemand que Vicente avait engagé au début du mois de décembre 1940, s'était occupé de plus en plus et de mieux en mieux du magasin. Il avait appris de Vicente à séduire les clients, à s'occuper de la comptabilité, à gérer les stocks. Et pendant ces longs mois où ils avaient travaillé ensemble, Vicente aussi avait appris à le connaître. Un soir, quelques semaines avant de recevoir la lettre de sa mère, en fermant la boutique, Franz avait confié à Vicente que c'était son anniversaire et Vicente l'avait invité à boire une bière. Ils avaient marché en direction du fleuve et ils s'étaient arrêtés dans un bar de la rue Florida. Ils avaient bu une première Quilmes en silence, en regardant passer les gens. Vicente était calme. Alors, il aimait encore partager son silence avec Franz. Il aimait le regarder, il aimait regarder son sourire resplendissant. Souvent, cela suffisait à apaiser ses tourments. Franz, comme toujours, semblait contempler l'univers entier avec un bonheur si intense.

— C'est une des choses que je préfère ici, à Buenos Aires : m'asseoir au café et regarder passer les gens.

Vicente, complice, s'était tourné vers lui.

— Les gens ?

Le sourire de Franz s'était encore amplifié, débordant de ses lèvres à ses joues, à ses yeux.

— Oui, les filles. Surtout les filles.

D'un geste, Franz avait demandé au serveur de leur apporter une autre bouteille de Quilmes.

— Celle-là, elle est pour moi…

— Ça va, tu peux laisser payer ton patron.

— Vous n'êtes pas que mon patron, avait dit

Franz avant de rougir un peu. Vous avez été comme un père pour moi.

— Un père ?

— Oui, enfin... un guide... Je ne sais pas... Un père spirituel.

Franz et Vicente avaient échangé un regard de compréhension ou d'incompréhension, comme une silencieuse interrogation et une vaine réponse, puis ils s'étaient de nouveau tournés vers la rue et ils avaient bu une gorgée de bière en levant leurs verres exactement en même temps.

— Me parler en allemand, alors que je venais d'arriver, alors que vous ne saviez rien de moi, m'embaucher alors que je ne parlais pas un mot d'espagnol, tout ça, ça a été comme si vous me disiez que je pouvais avoir ma place dans ce pays que je connaissais à peine. Je n'ai jamais su pourquoi, ce premier jour, vous m'aviez parlé en allemand aussi simplement, aussi directement...

— J'ai juste vu que tu n'étais pas d'ici, et j'ai imaginé que... je ne sais pas...

— Vous auriez pu me parler en polonais... ou en yiddish...

— Oui, c'est vrai... mais...

Vicente, le cœur soudain rempli de rage et de honte, avait baissé le visage pour finir sa phrase :

— J'ai toujours aimé l'allemand.

Comprenant sa douleur, Franz avait gardé le silence un instant et avait effacé de son visage son magnifique sourire.

— Un jour, il y a longtemps, vous m'avez

demandé si j'étais juif. Mais vous ne m'avez jamais demandé pourquoi on était partis d'Allemagne, mes parents et moi.

Vicente s'était de nouveau tourné vers lui, attendant la suite.

— On a fui l'Allemagne parce que mes parents sont communistes. Et moi aussi.

Vicente n'avait pu s'empêcher d'avoir une petite réaction de surprise – et de déception.

— Enfin, là-bas j'étais trop jeune pour faire de la politique, mais j'ai toujours adhéré aux idées de Lénine. Et de Trotski surtout.

Vicente, commençant d'être agacé par le tour que prenait la discussion, s'était retourné vers la rue.

— Quoi ? C'est quoi le problème avec les bolcheviques ?

— Rien.

Pour éviter de lui dire que vingt ans auparavant il les avait craints, il les avait détestés, qu'il s'était battu contre eux, Vicente avait vidé son verre. Franz avait attendu qu'il précise sa pensée, mais Vicente s'était resservi et il l'avait juste regardé en silence : pourquoi lui aurait-il avoué tout cela alors qu'il n'éprouvait plus la moindre peur et qu'il lui était absolument impossible de détester son jeune employé ? Heureusement, des amis de Franz, un garçon et deux filles de son âge qui passaient par là par hasard, s'étaient approchés de leur table et la discussion s'était arrêtée là.

En fait, pendant des mois, Vicente avait

ressenti une sympathie de plus en plus grande pour ce garçon cultivé avec qui il avait souvent discuté de poésie. Il avait aimé de plus en plus le jeune Franz jusqu'au moment où, quelques semaines après avoir reçu la lettre de sa mère, il n'avait plus supporté sa présence et l'avait licencié pour une raison anodine. Franz ne s'en était pas plaint : malgré son affection, le silence et l'insupportable mélancolie de son patron avaient déjà eu raison de son désir de travailler et d'apprendre. Franz était parti et Vicente s'était retrouvé de nouveau seul dans le long local sombre.

L'été avait laissé la place à l'automne, l'automne à l'hiver. Vicente continuait de travailler, d'aller au Tortoni, de s'occuper parfois, de plus en plus silencieusement, de ses enfants. Et d'aimer parfois – de plus en plus silencieusement – sa femme. Pendant ce temps, en Europe, Paris subissait les premiers bombardements de la Royal Air Force, la Wehrmacht s'emparait de Sébastopol, et Reinhard Heydrich mourait – enfin ! – d'une septicémie contractée à la suite des blessures reçues lors de l'attentat qui n'avait pas réussi à lui ôter la vie huit jours plus tôt.

Le jeudi 16 juillet 1942, le jour même où à Paris des policiers et des gendarmes français arrêtaient quelque treize mille Juifs (dont un peu plus de quatre mille enfants) pour les déporter à Auschwitz, Ariel avait bravé la pluie argentine pour traîner son immense carcasse d'ours jusqu'au magasin de meubles de Vicente. Il était venu lui montrer un exemplaire d'un journal anglais, paru trois semaines plus tôt, mais qui venait seulement d'arriver à Buenos Aires. Alors que les attaques allemandes fléchissaient et que la guerre peu à peu devenait indécise, ce journal conservateur de Londres, le *Daily Telegraph*, avait publié ce que l'on peut considérer comme l'un des plus grands scoops de l'histoire. Le titre de l'article était : *Les Allemands tuent 700 000 Juifs en Pologne*. Et le sous-titre : *Des chambres à gaz mobiles*.

« Plus de 700 000 Juifs polonais ont été anéantis par les Allemands dans le plus grand massacre de l'histoire. Ils ont, de plus, mis en place un système pour les affamer qui, selon ce que les Allemands eux-mêmes ont admis, a pu en tuer au moins autant. Les plus horribles détails de cet assassinat massif, qui incluent l'utilisation d'un gaz vénéneux, ont été révélés par un rapport envoyé secrètement à M. Samuel Zygelbojm, représentant juif dans le Conseil national polonais de Londres. »

Ce scoop incroyable faisait deux colonnes dans la page 5 d'un journal qui en comptait six. Et le moins qu'on puisse dire c'est que sa parution, à l'époque, n'avait pas produit un bruit retentissant : l'article n'avait pas été repris par d'autres médias et il n'avait eu pratiquement aucun écho auprès du public ni des hommes politiques.

Samuel Zygelbojm avait même été accusé d'avoir tout inventé.

« Des enfants dans des orphelinats, des anciens dans des centres gériatriques, des malades dans des hôpitaux ont été fusillés. » « Les hommes âgés de quatorze à quatre-vingts ans sont conduits dans un même endroit, souvent un square ou un cimetière, et sont tués avec un couteau, une arme à feu ou des grenades après qu'on leur a fait creuser leur propre tombe. »

Les détails étaient terrifiants. Vicente avait commencé sa lecture empreint du scepticisme avec lequel il lisait toujours les journaux, mais il n'avait pu s'empêcher de la terminer le cœur serré et le ventre noué par l'angoisse. Dès qu'il avait fini de lire l'article, il avait rendu le journal à son ami. Ariel avait attendu une réaction, mais Vicente n'avait rien dit. Ariel avait essayé de lui parler, il avait essayé de discuter avec lui de cette horreur, il avait essayé de partager avec son ami l'impuissance de son amertume, de sa rage – et il avait aussi essayé de le convaincre que tant qu'il n'avait pas de nouvelles de sa mère et de son frère, l'espoir était toujours permis. Il lui avait même dit, propos absurdes ! que ce chiffre incroyable de sept cent mille victimes ne représentait finalement qu'un tiers de la totalité des Juifs polonais.

Vicente l'avait écouté froidement, sans prononcer le moindre mot, sans émettre la moindre réponse. Ariel, bien sûr, avait rapidement compris sa maladresse, son erreur, mais il avait quand même insisté. Il avait insisté, et insisté encore ; il avait repris ses mots maladroits, il en avait dit d'autres ; plein de colère et de compassion, il avait essayé par tous les moyens de partager la douleur de Vicente ; puis, ne sachant plus quoi faire, malheureux et furieux à la fois, profondément blessé par la réaction glaciale et taciturne de son ami, il avait fini par le serrer dans ses bras et il était parti du magasin les poings fermés, et des larmes aux yeux.

Resté seul, après un long moment, Vicente s'était levé et s'était dirigé vers la porte. Il avait tourné posément l'écriteau qui pendait à l'entrée pour indiquer que le magasin était fermé et s'était approché à petits pas d'un modèle de tourne-disque qu'il avait mis en vente quelques jours plus tôt. Il avait posé un disque dessus avant de s'asseoir dans un fauteuil.

Et, comme le *Concerto pour piano n° 24* de Mozart commençait, il avait fermé les yeux.

La réalité en Europe, en juillet 1942, était encore pire que ce que décrivait l'article du *Daily Telegraph*. Les chambres à gaz mobiles (la première génération de camions camouflés en véhicules de la compagnie de café Kaisers-Kaffee, puis la deuxième génération, des camions de 2,5 et 3 tonnes pouvant contenir entre trente et cinquante personnes et des 5 tonnes où l'on pouvait charger, *debout et bien tassés*, jusqu'à soixante-dix victimes, avec des caisses hermétiques spéciales où se déversaient directement les gaz d'échappement) avaient été remplacées par des chambres à gaz fixes qui fonctionnaient déjà, depuis les mois de mars et avril, dans les camps d'extermination de Bełżec, Chełmno et Auschwitz. Et le jour du huitième anniversaire de la fille aînée de Vicente, le 19 juillet 1942, Himmler avait signé l'ordre de déclencher l'opération Reinhard, dont le but était qu'il n'y ait plus aucune personne d'ascendance juive dans le Gouvernement général avant le 31 décembre.

À Varsovie, les Allemands avaient commencé par promettre du pain et de la confiture aux habitants du ghetto qui accepteraient d'être évacués vers des camps de travail, et plusieurs milliers d'entre eux avaient répondu à l'appel. Puis, pendant tout l'été 1942, ils avaient entamé ce qu'ils avaient appelé « le repeuplement vers l'Est » – et qui était en fait la déportation de *tous* les Juifs du ghetto vers le camp d'extermination de Treblinka II. Cette autre opération, connue sous le nom de *Großaktion* (la Grande Action), avait débuté le 22 juillet. Pendant huit semaines, à peu près sept mille personnes étaient déportées chaque jour. Les rafles dans le ghetto se faisaient de jour comme de nuit, aussi bien dans les habitations que dans les rues. Les Juifs étaient emmenés vers la gare de triage de Varsovie, puis en train jusqu'au camp de Treblinka, situé à 80 kilomètres, qu'on leur présentait comme une gare de transit et d'où on leur faisait croire qu'ils seraient transférés, après avoir été désinfectés, vers des camps de travail situés encore plus à l'Est. Le chemin qui menait vers les « douches » – et que devaient emprunter, durant l'été 1942, plus de trois cent mille Juifs du ghetto de Varsovie, puis, dans les mois qui ont suivi, plus de quatre cent cinquante mille Juifs des districts de Radom, Lublin et Białystok – avait été appelé, par les nazis, *Himmelstrasse*, « le chemin du ciel ».

Juillet, août 1942. Pendant ce temps, à Buenos Aires, les semaines inconsistantes de l'hiver austral défilaient et Vicente n'avait plus aucune nouvelle de sa mère. Il jouait au poker nuit après nuit jusqu'à l'aube et ne se réveillait jamais avant deux ou trois heures de l'après-midi. Il sortait de la chambre, allait dans la salle de bains, se rinçait le visage, prenait rapidement un café, embrassait ses enfants du bout des lèvres comme ils rentraient de l'école, puis se rendait dans le magasin pour vérifier si le nouveau vendeur qu'il avait engagé, Yorgos, un Grec d'une cinquantaine d'années, avait vendu quelque chose. Pour ne plus penser à sa mère, Vicente s'efforçait aussi de ne jamais penser à Rosita ni à ses enfants, ni à lui-même. La moindre considération pour un être humain lui semblait comme une insulte à... à quoi au fait ? à la situation de sa mère ? à sa souffrance ? – à sa mémoire ?

« Se taire. Oui, se taire. Ne plus savoir ce que parler veut dire. Ce que dire veut dire. Ce qu'un mot désigne, ce qu'un nom nomme. Oublier que les mots, parfois, forment des phrases. » Le silence, comme le jeu, espérait-il, l'aiderait à apaiser ses tourments. Il aspirait à un silence si fort, si continu, si insistant, si acharné, que tout deviendrait lointain, invisible, inaudible – un silence si tenace que tout se perdrait dans un brouillard de neige. Vicente voulait faire taire les voix des autres, les voix autour, et sa voix à lui aussi. Ou plutôt, il voulait faire taire *ses* voix : celle qui lui faisait encore, rarement, prononcer des mots que les autres pouvaient entendre et aussi cette autre voix, muette, intérieure, qui lui parlait de plus en plus et qui résonnait parfois comme celle d'un ami intime et parfois comme celle d'un dieu étranger – la voix de sa conscience. Il voulait tout faire taire. Il voulait que tout soit, pour toujours, aussi silencieux qu'une grande plaine enneigée. Et il s'y efforçait avec une telle persévérance, avec une telle obstination, que souvent il y parvenait. Il se taisait pendant de si longues heures que plus aucune voix du monde extérieur ne lui parvenait, que plus aucune pensée intérieure ne s'articulait dans sa tête. La musique l'aidait. *La Passion selon saint Matthieu*, les concertos pour piano de Mozart, et, surtout, des compositions légères de Beethoven : *La Lettre à Élise*, la sonate *Clair de lune*, les *Bagatelles*, les *Variations*. « Des Allemands. Trois Allemands. Même si Mozart... Mais même lui, paraît-il, se considérait comme allemand. » Au magasin, Vicente écoutait certaines pièces en boucle pour faire taire le moindre de ses souvenirs et effacer la moindre image créée par son imagination. Mais après quelques semaines, la musique aussi avait cessé de lui être nécessaire. Le silence qu'il s'imposait avait suffi à ce que rien d'autre que des considérations sans intérêt ne passe plus par son cerveau pendant les interminables heures où, le soir, après le départ de Yorgos, assis seul tout au fond du magasin, il regardait les passants qui longeaient la vitrine ; ou alors ces autres heures, tout aussi interminables, où, assis à une table de poker, il perdait le peu d'argent qu'il lui restait. « Plus de mots. Plus de langues. Ni allemand, ni polonais, ni yiddish. Ni espagnol ni argentin. Plus de mots. Plus de noms. Plus de noms pour rien. Ni pour la musique, ni pour le piano, ni pour la chaise, ni pour la table. Ni vitrine, ni magasin, ni rue, ni voiture, ni cheval, ni ville, ni pays, ni océan. Ni massacre. Ni douleur. Plus. De. Mots. »

Rosita supportait tant bien que mal cette nouvelle manière de vivre. Elle trouvait le temps de plus en plus long mais elle s'occupait du ménage, des repas, des enfants, et repassait les chemises de son mari aussi consciencieusement qu'auparavant. Souvent, comme ce dimanche après-midi du milieu du mois d'août, elle le regardait aller et venir en respectant le silence qu'il lui imposait. Elle le contemplait ne rien faire, ne rien dire, et se demandait pourquoi son mari n'était plus l'homme qu'elle avait épousé. Ne sachant pas au juste quels étaient les monstres qui s'agitaient dans son esprit, elle se demandait ce qu'elle avait fait, de quoi elle était coupable. « Je l'aime. Je l'aime je l'aime je l'aime je ne l'aime pas je l'aime. Je l'aime. Je ne l'aime pas. Je l'aime. Mais pourquoi ? Mais pourquoi ne se rase-t-il plus comme il se rasait avant ? Pourquoi s'habille-t-il n'importe comment ? Pourquoi ne prend-il plus soin de lui ? Et pourquoi ne s'occupe-t-il plus des enfants ? Même en silence ? Ce n'est pourtant pas difficile de les emmener à l'école comme il le faisait avant, d'aller les chercher de temps en temps… Pourquoi ? Pourquoi pourquoi pourquoi ? Pourquoi n'est-il plus celui qu'il était quand je l'ai rencontré ? quand il m'a épousée ? quand il m'a aimée ? quand je l'ai aimé ? Je ne sais plus qui il est. C'est ça. Ni plus ni moins. Je ne sais pas. Je ne sais plus. Il me regarde parfois, il me sourit parfois, mais je ne sais pas. Je l'aime. Je l'aime je l'aime je l'aime. Mais je ne l'aime pas. Est-ce que je sais encore, est-ce que je pourrais encore dire ce que j'aime dans cet homme que j'ai tant aimé, cet homme qui a été, et qui aurait dû rester à jamais, l'homme de ma vie ? » Rosita se posait beaucoup de questions, mais elle ne trouvait aucune réponse. Elle pensait à son mari, et elle pensait aussi à ses parents, à leur souffrance. « Eux aussi, comme Gustawa, ils ont vécu des horreurs. Eux aussi, ils ont été confrontés à des atrocités. Comment ont-ils fait alors ? Comment ont-ils fait pour oublier ? Comment ont-ils pu, arrivés en Argentine, oublier les pogroms ? Comment ont-ils fait pour laisser le passé derrière eux et vivre de nouveau ? Qu'ont-ils abandonné ? Qu'ont-ils effacé ? Qu'ont-ils renié ? À quoi se sont-ils résignés pour que moi, et mon frère, et mes sœurs, on vive normalement ? » Rosita avait choisi d'épouser Vicente. Elle avait choisi d'arrêter ses études de pharmacie pour devenir sa femme. Personne ne l'avait forcée. Était-elle pourtant à présent plus heureuse que ses sœurs, ou que sa mère dont le mariage avait été arrangé par ses parents avec les parents de son père qui habitaient un shtetl voisin ? « Je ne peux pas l'aimer. Comment aimer un homme qui n'est plus jamais là ? Qui n'est même pas là lorsqu'il est là ? Je ne sais pas ce qu'il pense, je ne sais pas ce qu'il sent, je ne sais pas ce qu'il veut. La dernière fois où j'ai caressé sa main, elle était glacée comme celle d'un cadavre. »

Ce dimanche après-midi, comme tant d'autres jours, Rosita avait regardé son mari traîner dans l'appartement, sans un mot, sans un regard, ni pour elle ni pour les filles qui faisaient leurs devoirs à la table de la salle à manger. Puis il était allé s'asseoir sur le canapé pour contempler le ciel à travers la fenêtre. Vicente vivait dans un monde où elles n'existaient presque plus. À un certain moment, Juan José, se réveillant de sa sieste, avait commencé de pleurer dans sa chambre. Rosita venait de se mettre à faire la vaisselle dans la cuisine. Elle avait attendu exprès quelques lentes minutes. Elle se demandait si son mari entendait les pleurs. Elle voulait savoir s'il se lèverait ou pas pour aller s'occuper de leur fils. Mais elle avait attendu – et il n'avait rien fait. Et c'est elle qui avait dû arrêter de faire la vaisselle pour aller prendre Juan José dans ses bras.

Comme presque chaque jour depuis des semaines et des semaines, Vicente était épuisé. Ce jour-là, puisque c'était dimanche et qu'il s'était réveillé un peu plus tôt que d'habitude, il était sorti de la maison et il avait passé une bonne partie de la journée à marcher, à marcher sans aller nulle part, comme il le faisait de plus en plus souvent, errant telle une âme en peine dans les rues de Buenos Aires. La ville débordait de voitures, de kiosques, de magasins, de librairies. Et de femmes, de femmes de plus en plus belles, ou plutôt de plus en plus attirantes, de plus en plus élégantes. Avec l'opulence que la guerre dans le reste du monde avait accordée à ce pays reculé, terré tout au sud de l'Amérique du Sud, certaines rues de Buenos Aires semblaient s'être transformées en passerelles pour des défilés de mode. Vicente avait aimé cette ville. Il avait aimé marcher, parcourir les rues, les découvrir. Il avait adoré s'éloigner du centre vers les quartiers louches, dangereux, de Boedo, Barracas ou Pompeya, aussi bien que vers La Recoleta, Palermo et Belgrano, ces quartiers de plus en plus chics qui s'étendaient vers le nord, le long du fleuve. Entre le moment où il était arrivé à Buenos Aires en avril 1928 et cet hiver austral de 1942, les rues de la ville s'étaient animées d'une vie incroyable. L'Argentine avait retrouvé l'opulence qu'elle avait connue dans les années 1910. Elle avait cessé d'être ce pays pauvre, périphérique, d'après la crise de 1930, et était devenue ce que la Seconde Guerre mondiale avait fait d'elle : un lointain centre du monde. À cause du conflit qui dévastait l'Europe, l'immigration avait redoublé, entraînant non seulement ces pauvres Italiens et ces pauvres Espagnols qui n'avaient jamais cessé d'immigrer depuis la fin du XIXe siècle, mais également des artistes et des intellectuels célèbres, ainsi que des familles européennes bien plus fortunées que celles qui les avaient précédées. Pour les Argentins, tout était devenu facile. Les magasins ne désemplissaient pas, la moindre affaire prospérait. Seul Vicente, dans cette ville immense, dans cette ville en fête, se sentait de plus en plus pauvre, de plus en plus démuni.

Avant la guerre, avide, voulant devenir plus *porteño* que n'importe quel Argentin, Vicente avait adoré marcher dans ces rues dans lesquelles il marchait encore. Il avait adoré zigzaguer pour n'en ignorer aucune, pour toutes les connaître. Il avait marché des heures et des heures, contemplant les magasins et les passants. Maintenant, au contraire, il allait parfois jusqu'à Chacarita ou jusqu'à La Boca en suivant une seule de ces rues droites de la ville comme si le lieu où ses pas pouvaient le mener ne dépendait plus de lui, comme si cela n'avait plus aucune importance. Il marchait interminablement, les yeux rivés sur ses pieds. Puis il faisait le chemin inverse – par la même rue. Depuis qu'il avait reçu la lettre de sa mère, Vicente marchait beaucoup sans éprouver aucun plaisir à marcher. Mais, en même temps, comme il n'éprouvait pas plus de plaisir à ne pas marcher qu'à marcher, inutilement, inévitablement, il marchait encore.

Marcher seul a toujours permis aux hommes de se taire – et de penser. Vicente, pourtant, marchait uniquement pour que le silence accompagne ses pas. Comme du temps où il écoutait de la musique, ou comme lorsqu'il regardait le ciel depuis le canapé de son salon, lorsqu'il marchait, il aspirait à ce que les mots s'absentent tellement de son esprit que la pensée elle-même disparaisse. Mais malheureusement, si l'immobilité est le contraire de la mobilité, si le silence est le contraire de la parole, rien n'est le contraire de la pensée, rien ne s'oppose à cette activité de l'esprit : ne pas penser n'est qu'une autre manière de penser. « Et Berl ? Est-ce qu'il travaille encore ? Est-ce qu'il se bat ? Ou est-ce que lui aussi a baissé les bras ? Comment mon frère, mon frère aîné, si grand, si fort, si sûr de lui, pourrait-il avoir été réduit à n'être qu'un de ces pauvres hères que décrivent les journaux ? Les Allemands ont-ils pu l'humilier, l'écraser à ce point ? Ont-ils réussi à faire de lui aussi un animal servile ? » Alors, en marchant, après de longues minutes à se débattre avec sa propre incapacité à ne pas penser, Vicente revenait sans cesse à lui-même, et aux démons qui en ce temps-là le tourmentaient.

Malgré la lettre de sa mère, malgré l'article du *Daily Telegraph*, Vicente n'avait qu'une idée très vague de ce qui se passait réellement en Europe. Les journaux, partout dans le monde, avaient commencé à parler timidement des centaines de milliers de Juifs qui étaient assassinés par les nazis. Mais ne pouvant pas imaginer ce qu'est le meurtre de centaines de milliers de personnes, la plupart des gens n'y croyaient toujours pas. Après l'article du *Daily Telegraph* du mois de juillet, deux journaux argentins, *La Prensa* et *Crítica*, avaient dénoncé que les déportations des Juifs étaient destinées à des lieux d'extermination. Puis, le 25 novembre 1942, le *New York Times* avait publié un article sur les camps de Bełżec, Sobibor et Treblinka et sur les chambres à gaz et les fours crématoires d'Auschwitz. Cet article précisait que les personnes âgées, les enfants, les nourrissons et les handicapés juifs de Pologne étaient assassinés. Mais l'article n'était paru qu'en page 10 du journal et, encore une fois, il n'avait eu qu'un écho limité.

Vicente, comme le reste de l'humanité, pouvait savoir mais *ne pouvait pas* savoir. Il ne pouvait mettre aucune image sur ce qui se passait à douze mille kilomètres de distance de là où se déroulait son drame personnel. Il ne pouvait mettre aucune image, ni l'appeler d'aucun nom. Il est d'ailleurs étonnant à quel point non seulement Vicente mais tout le monde a eu du mal à nommer cet événement. Au début, ça ne s'appelait ni *shoah* ni *holocaust*. Ni en français ni en anglais, ni avec une minuscule ni avec une majuscule. Au début, ça ne s'appelait pas. On parlait d'« événement », de « catastrophe », de « cataclysme », de « désastre », puis on a parlé d'« hécatombe », d'« apocalypse ». Mais au tout début, ça n'avait pas vraiment de nom. À part pour les nazis, qui l'avaient appelée

« solution territoriale » puis « solution finale » et avaient dissimulé ces noms sous d'autres noms afin que toute l'entreprise se fît à mots couverts (les chambres à gaz étaient appelées *Spezialeinrichtungen*, « installations spéciales », le gazage *Sonderbehandlung*, « traitement spécial »), en dehors du vocabulaire des bourreaux, ce qui se passait en Europe, pendant des années, a été ce qui arrivait et qui ne s'appelait pas. Comme disait Churchill, c'était « un crime sans nom ». Puis, à partir de la fin de la guerre, on a beaucoup discuté du nom qu'il fallait donner à cet événement. On a beaucoup discuté parce que donner un nom est toujours une manière de dire quelque chose qui n'a jamais été dit et, à la fois, de dire quelque chose qui a toujours été dit – ou qui a toujours été tu, ce qui revient au même.

Avant la conférence de Wannsee, les nazis avaient déjà commencé à parler de « solution finale », et bizarrement, cet euphémisme, comme si les Occidentaux à l'époque avaient su ce qu'ils nient aujourd'hui – qu'ils étaient tous coupables –, a continué d'être employé par tout le monde pendant des décennies. « La solution finale. » Quelle expression étrange, n'est-ce pas ? Une solution, on le sait, apporte toujours d'autres questions, d'autres problèmes. Cette solution-là, non. Cette solution-là, cette solution *finale*, les compatriotes de Kant, Hegel, Schopenhauer et Nietzsche ont cru qu'elle devait tout résoudre.

Puis on a préféré parler de « génocide », un

terme hybride composé du préfixe grec *genos*, qui désigne un groupe de même origine, et du suffixe latin *cide*, dérivé du verbe *caedere* (tomber, abattre). Créé par un Juif polonais en 1944 et choisi par l'ONU à cause de la Seconde Guerre mondiale, ce substantif n'a pourtant jamais été réservé à l'extermination du peuple juif – ce qui a toujours dissuadé de l'utiliser ceux qui considèrent que la Shoah a été une entreprise unique dans l'histoire de l'humanité.

Peu après, les anglophones ont tenté le terme d'« Holocauste ». Mais l'holocauste a toujours été un sacrifice, un sacrifice à des dieux. Il a toujours désigné cette action qui consiste à brûler pour les dieux. Les hommes, pendant des siècles et des siècles, ont brûlé des animaux et offert le meilleur – la fumée, l'odeur – à leurs dieux. Et en échange, ils leur ont demandé des choses. Celui qui a choisi le mot « Holocauste » pour signifier le massacre de Juifs avait-il ce sens en tête ? On ne le saura sans doute jamais. Mais les mots ne dépendent pas de ce que croit dire celui qui les dit : les mots disent ce qu'ils deviennent, ils racontent toujours une histoire, *des* histoires. Celui qui a choisi le premier le mot « Holocauste » a dit, en le voulant ou sans le vouloir, que tuer des millions de Juifs était un sacrifice fait à certains dieux pour leur demander certaines choses. Espérons que cet homme alors, au moins, parlait de ses dieux. Ou espérons plutôt que cet homme imaginaire a proposé ce mot parce qu'il a compris que Dieu était mort, parce qu'il a vu que Dieu s'était à jamais dissipé dans la fumée de l'holocauste humain exigé par la Race, la plus goulue de toutes les idoles.

Après Holocauste, ou bien avant (puisqu'il a été employé dès l'époque talmudique pour désigner la destruction de Jérusalem et des deux Temples), il y a eu aussi le mot « Hourbane », dont le choix a été dicté par le désir d'inclure l'événement dans une continuité de catastrophes et de destructions dont les Juifs ont été les victimes.

Et enfin, surtout en France à partir des années 1960, un autre terme a commencé de prendre le dessus : le mot biblique « Shoah ». Ce terme, apparu dès 1933, veut dire « destruction », destruction sans demande, sans prière, destruction de type naturel ou fatal, destruction où il n'est question d'aucun dieu.

Bref, comme souvent, le choix d'un mot ou un autre a opposé à chaque fois deux camps (Alliés et nazis, francophones et anglophones, Juifs et goyim), jusqu'à ce qu'enfin, avec Shoah et Hourbane, les Juifs s'opposent entre eux : d'un côté, ceux qui croient que l'événement est unique ; de l'autre, ceux qui croient qu'il n'est qu'un désastre de plus. Mais, comme on sait, il suffit de mettre deux Juifs dans une même pièce pour avoir trois opinions.

Ce dimanche du mois d'août 1942, après avoir marché une bonne partie de la journée, Vicente était retourné à la maison au moment où il avait commencé à pleuvoir. Il y était retourné « comme ça », comme il faisait maintenant tout ce qu'il faisait : sans aucune raison apparente. Il y était retourné, comme il y retournait toujours ces derniers temps, sans qu'on sache jamais s'il resterait dîner, s'il dormirait là ou pas. Les filles étaient sages. Elles faisaient leurs devoirs. C'étaient de bonnes élèves. Parfois, parfois encore, Vicente posait son regard sur elles. Et Rosita ne pouvait s'empêcher de se souvenir, en remarquant ce regard, combien il les avait aimées, combien il les avait adorées, comme elle ne pouvait s'empêcher de songer qu'il les aimait sans doute encore, même s'il était incapable, depuis qu'il avait reçu la lettre de sa mère, de leur montrer le moindre signe d'affection. Juan José, en revanche, qui l'attendait, qui se tournait sans cesse vers lui, qui aurait eu tellement besoin que son père lui parle, qu'il s'occupe de lui, Vicente ne semblait même pas se rendre compte qu'il existait, qu'il grandissait, qu'il l'appelait papa. À peine le regardait-il de temps en temps, désolé ou énervé, comme s'il lui en voulait particulièrement. Sans pouvoir le formuler, sans pouvoir le comprendre, peu à peu, Vicente commençait de lui faire payer la culpabilité qu'il ressentait envers sa mère, cette culpabilité qui, à partir de cette année-là, allait à tout jamais lui ronger les entrailles.

— Et si on sortait prendre le goûter ?

Comme Vicente ne proposait plus jamais rien,

Rosita avait pris les devants. Puisque c'était dimanche et que les enfants n'étaient pas allés à l'école, puisqu'ils n'étaient pas sortis de la journée et qu'il était déjà cinq heures de l'après-midi, puisque le magasin était fermé et que Vicente était à la maison avec eux, Rosita avait proposé qu'ils aillent tous les cinq jusqu'à la confitería Ideál, l'endroit où son frère León lui avait présenté son futur époux. Elle savait que Vicente avait toujours aimé ce salon de thé où ils s'étaient rencontrés pour la première fois. Elle savait qu'il avait toujours apprécié ce lieu décoré uniquement avec des matériaux et des meubles importés d'Europe. Vicente connaissait le patron, don Manuel, et c'est lui qui leur avait dit un jour, il y a des années, peu après leur mariage, que les fauteuils de la grande salle venaient de Prague, que les grands lustres étaient français, que les vitraux qui ornaient le plafond avaient été conçus en Italie, que les boiseries étaient en chêne slovène et que le marbre des colonnes et des escaliers et les cristaux biseautés des vitrines et le bronze des appliques murales venaient également, tous, des grandes capitales européennes – où un jour, Vicente avait alors promis à Rosita, il l'emmènerait.

Comme elle pénétrait dans la grande salle avec son époux et ses enfants, Rosita n'avait pu s'empêcher d'oublier le présent et de sourire en se souvenant de ces promesses. En se souvenant de ces promesses, et du bavardage incessant de

Vicente à l'époque. « Comment a-t-il pu être aussi loquace, aussi prolixe – aussi séducteur ? Et comment peut-il maintenant m'oublier autant ? »

Vicente, de son côté, en entrant dans la grande salle avec sa famille, puis en cherchant une table libre pour aller s'asseoir, ne pensait à rien. Alors qu'à la maison il avait acquiescé à la proposition de sa femme, alors qu'il avait marché dans la rue en tenant ses filles par la main, alors qu'il avait été presque présent pendant quelques dizaines de minutes, dès qu'il était entré dans la confitería Ideál, il avait allumé une cigarette et le blanc avait une nouvelle fois occupé la totalité de son cerveau. Il s'était assis et il avait commencé à fumer, ignorant les mots qu'échangeaient ses filles, ignorant la solitude de son fils, ignorant la triste nostalgie de sa femme. Le monde extérieur avait de nouveau cessé d'exister. Ses pensées s'étaient de nouveau perdues dans la grande plaine enneigée. Il ne sentait plus rien. Seules quelques gouttes d'acide tombaient régulièrement dans son ventre, creusant un sillon lancinant pour lui rappeler son malheur. Vicente ne sentait ni ne pensait à rien – sauf à un moment précis, comme ses yeux avaient croisé ceux de Rosita et qu'elle les avait détournés pour contempler le lieu : soudain, il n'avait pu s'empêcher de songer qu'elle se souvenait sans doute de leur première rencontre et des dizaines de fois où ils étaient revenus dans cet endroit, et de ses paroles et de leur bonheur. Et il s'était dit alors, douloureusement, que tout ce dont elle se souvenait avait été vrai : il avait été vrai qu'il avait cru qu'il l'emmènerait en Europe, comme il avait été vrai qu'il avait aimé cet endroit et ces matériaux – cet endroit et ces matériaux qui lui rappelaient son passé, et que maintenant il détestait.

Après le goûter, Rosita, Vicente et les enfants étaient rentrés à la maison lentement. Le silence du père avait déteint sur toute la famille, et les enfants, même Juan José, qui allait avoir cinq ans, par mimétisme ou par respect, passaient souvent de longues minutes sans dire un mot. En marchant, à un certain moment, il avait cherché la main de son père. Mais Vicente la lui avait refusée. Dès qu'il avait senti la main de son fils effleurer la sienne, presque sans s'en rendre compte, il l'avait retirée ; et les épaules courbées, la tête baissée, il avait continué de marcher. Rosita avait surpris ce geste tendre de son fils, et la réponse cruelle de son mari, et elle avait serré les dents pour ne pas pleurer. « Mais pourquoi ? Pourquoi il fait ça ? Pourquoi il n'est plus jamais là ? Pourquoi il ne pense plus jamais à nous ? Pourquoi il ne nous aime plus ? Pourquoi ? Pourquoi ? Pourquoi tout est fini ? Pourquoi est-ce qu'il tient tant à ce silence qui nous tue, qui détruit nos enfants, notre famille, notre amour, notre vie ? »

Ce soir-là, les enfants s'étaient endormis tard. Rosita leur avait lu une histoire, puis une autre, et encore une autre. Puis, fatiguée de s'être occupée seule des enfants toute la journée, elle s'était démaquillée, elle s'était lavé les dents et elle était venue embrasser son mari avant d'aller se coucher. Vicente n'avait pas prononcé le moindre mot mais il avait accepté son baiser sur le front et il avait posé un instant sa main sur la sienne. Rosita était partie vers leur chambre et Vicente était resté assis en silence dans le salon, les yeux rivés sur la fenêtre sombre qui donnait sur leur petit balcon, à contempler le ciel noir. Il était resté là une dizaine de minutes. Puis lui aussi était parti. Il s'était levé, il avait pris sa veste et il était sorti de l'appartement pour aller chercher dans la nuit de Buenos Aires une table où jouer au poker.

Rosita, ne parvenant pas à éloigner de sa pensée les questions qui l'avaient torturée toute la journée, avait déjà éteint la lumière mais elle ne dormait pas encore : elle avait entendu son mari partir, comme presque chaque nuit depuis des mois, et, couchée seule dans le lit, elle avait pleuré longuement, étouffant ses sanglots dans son oreiller. « Pourquoi ?! Pourquoi il ne m'aime plus ?! Pourquoi il ne me touche plus ?! Pourquoi il ne m'embrasse plus ?! Pourquoi il ne me baise plus ?! Pourquoi il ne me baise plus – même en silence ?! » Rosita avait pleuré inconsolablement jusqu'au moment où elle avait entendu une petite voix dans son dos :

— Maman ?

Martha et Ercilia étaient là, à côté du lit, se tenant par la main debout dans la pénombre.

Elles la regardaient toutes les deux fixement, un peu désolées, et un peu effrayées.

— C'est Juanjo… il s'est réveillé…

— … et on t'a appelée, mais…

Rosita ne les avait pas entendues appeler. Elle pleurait trop pour les entendre. Elle s'était levée, et elle s'était excusée de ne pas les avoir entendues, et elle les avait serrées dans ses bras, et elle les avait raccompagnées dans leur chambre, où elle avait apaisé Juan José qui s'était vite rendormi. Elle s'était encore excusée auprès de ses filles, et elle les avait bordées, et elle les avait embrassées.

— Mais pourquoi tu es toute mouillée ?

Rosita ne s'était même pas rendu compte qu'elle avait tant pleuré que son visage était encore trempé de larmes.

— Qu'est-ce qui s'est passé ?

— Rien, rien… ce n'est rien…

Rosita avait essuyé son visage et elle les avait rassurées et elle les avait embrassées encore et elle avait laissé la lumière allumée en repartant se coucher. Elle avait laissé la lumière allumée pour rassurer ses filles, et pour se rassurer elle-même aussi.

Un soir du début du mois de février 1943, alors qu'ils venaient de rentrer de Mar del Plata, Vicente et Rosita avaient reçu la visite d'un homme d'une trentaine d'années que ni l'un ni l'autre ne connaissaient : le docteur Moshé Feldsher. Portant une veste en laine, une petite écharpe grise et un chapeau sombre, il avait sonné à la porte de leur appartement un samedi particulièrement suffocant de cet été austral. En voyant ses vêtements, bien trop chauds pour la saison, Vicente avait tout de suite deviné qu'il était arrivé à Buenos Aires depuis peu. Moshé Feldsher était un ami de Berl. Il avait travaillé à ses côtés dans le ghetto, d'où il avait réussi à fuir six mois plus tôt. En yiddish, il avait raconté le long périple qui l'avait mené de Pologne en Russie, puis en Finlande, d'où il avait réussi à prendre un bateau pour le Brésil. Après avoir été bloqué près de deux semaines à São Paulo, il était enfin parvenu à Buenos Aires. C'est le frère aîné de Vicente lui-même qui lui avait donné leur adresse. Moshé Feldsher leur avait confié que Berl et sa femme l'avaient beaucoup aidé lorsqu'il était arrivé, déporté depuis Berlin, dans le ghetto de Varsovie, et il leur avait parlé de la façon dont ils avaient travaillé ensemble :

— Pendant les premiers mois, on nous consultait pour diverses maladies, surtout le typhus et la tuberculose. On travaillait seize, dix-huit heures par jour. On essayait de trouver des solutions pour traiter tous les patients, même si la plupart n'avaient pas de quoi payer. Puis, peu à peu, comme tous les médicaments venaient à manquer, on ne s'est plus intéressés qu'à une seule maladie, la seule sur laquelle on ne nous avait jamais rien enseigné pendant nos études…

— Ah oui, laquelle ? avait demandé Rosita depuis la cuisine où elle était en train de préparer du café.

— La faim.

Comme Vicente ne disait pas un mot, Rosita était revenue dans le salon et avait continué de faire la conversation :

— Mais… je ne comprends pas… Pourquoi on ne vous a rien enseigné sur la faim ?

— Pour une raison très simple : parce que c'est la seule maladie qu'on ne peut pas soigner.

Moshé Feldsher avait pris la tasse de café que lui tendait Rosita et l'avait remerciée d'un sourire.

Avec un effort immense pour vaincre le silence qui le submergeait depuis des semaines et des semaines, Vicente avait réussi à articuler trois mots dans cette langue qu'il n'avait plus parlée depuis qu'il avait quitté Varsovie :

— Et ma mère ?

Moshé Feldsher lui avait donné de ses nouvelles, si l'on peut appeler « nouvelles » des informations qui dataient d'il y a six mois. Lorsqu'il avait réussi à fuir, lui avait-il dit, elle était encore en vie et, bien qu'affaiblie, elle n'avait souffert ni de la tuberculose ni du typhus.

— Peut-être que ça sert à quelque chose, finalement, d'avoir un fils médecin, avait-il gentiment plaisanté.

Avec un détachement que Vicente avait du mal à supporter, Moshé Feldsher avait continué de parler du ghetto, de la guerre, de sa fiancée qui, heureusement, avait fui avec lui et attendait un enfant. Puis il avait fini son café et, peut-être agacé à son tour par le silence de son hôte, il était parti alors que Rosita lui proposait de rester pour le dîner. Vicente lui avait à peine dit au revoir et s'était tourné vers le petit balcon qui donnait sur le salon. La journée n'en finissait pas de finir. Le ciel était déjà sombre et l'horizon, parsemé de longs nuages clairs, avait des couleurs de miel et de sang. La journée mourait lentement. Elle mourait lentement d'une lente mort sanglante.

Comme souvent ces derniers temps, Vicente avait voulu parler, mais il n'avait pas pu parler. Comment aurait-il pu parler comme le faisait cet homme, avec une telle insouciance, avec une telle légèreté, avec une telle bonhomie, alors que le sort de sa mère et de son frère se jouait peut-être, à ce moment-là, à douze mille kilomètres de distance ? Peu après le départ de Moshé Feldsher, comme le ciel était devenu entièrement noir, toujours sans un mot, Vicente avait pris sa veste et il était sorti à son tour. Il avait retrouvé Sammy dans l'arrière-salle enfumée d'un bar de l'Once et il avait joué au poker jusqu'à l'aube, perdant tout ce qu'il avait en poche. Puis, au lieu de rentrer à la maison, le cœur pétri de honte, il était allé au magasin. Couché sur un canapé invendu dans la réserve du sous-sol, il avait essayé de se reposer quelques heures. Mais son sommeil n'avait été d'aucun repos. Pour la première fois ce jour-là, il avait fait un rêve qu'il devait faire de nombreuses fois pendant le reste de son existence. Il avait rêvé qu'il était dans son lit et qu'il se réveillait et qu'il se levait et qu'il remarquait qu'on avait construit un mur autour de lui. Il faisait le tour du mur mais le mur l'encerclait, et il était fermé, entièrement fermé. Vicente essayait de sauter, de creuser, de frapper, mais le mur était très haut et il était indestructible. Comme il se débattait, le mur commençait doucement à grincer et à bouger et à se resserrer. Il se resserrait de plus en plus, jusqu'à ne plus laisser aucun espace libre. Vicente frappait le mur de toutes ses forces et il hurlait et il luttait et il étouffait et il hurlait encore. Mais cela ne servait à rien : le mur se resserrait de plus en plus, l'étouffant de plus en plus. Soudain,

Vicente remarquait qu'il avait un couteau dans la main. Alors que le mur s'était tellement resserré qu'il commençait à se coller contre son corps, désespérant de trouver un peu d'air, Vicente empoignait le couteau et arrivait à cogner le mur et à le percer. Il crevait le mur, il le trouait, faisant une entaille, et cette entaille se mettait à saigner – et elle lui faisait mal.

C'est à ce moment-là, comprenant que le mur était sa propre peau et qu'il n'avait d'autre choix que de mourir étouffé ou de se mutiler pour mourir également, que Vicente s'était réveillé hors d'haleine, en sueur. Il était presque midi. Vicente s'était calmé, il avait repris son souffle, il s'était levé et il était sorti du magasin. « Un dimanche de plus », avait-il pensé en rentrant à la maison. « Un dimanche inutile, un dimanche en vain, un dimanche qui précède un lundi tout aussi vain, tout aussi inutile. Un dimanche. Deux dimanches. Trois dimanches. Un dimanche pour compter les dimanches. Comme si les jours et les semaines pouvaient encore avoir de l'importance. » La vie de Vicente Rosenberg, comme tant de vies, comme celles de plusieurs millions de Juifs, de centaines de milliers de Tsiganes et de dizaines de milliers de communistes qui avaient perdu ou qui allaient perdre leurs proches dans les camps – sa vie, comme celles de tous ces autres êtres perdus de par le monde, se poursuivait. Elle se poursuivait sans aller nulle part. Elle continuait comme continuent souvent les vies : sans but, absolument dépourvue de sens. Vicente continuait vaguement de travailler, il continuait vaguement de s'occuper de ses enfants, il continuait de vaguement aimer sa femme. Buenos Aires prospérait, s'animait, resplendissait, et Vicente, en silence, continuait de vivre sans le moindre désir, sans le moindre plaisir. Il descendait de chez lui, marchait dans la rue pour aller dans son magasin de meubles, recevait des clients, vendait des chambres à coucher, des salons, des salles à manger. Parfois, il aimait presque ça. Parfois, il aimait presque cette routine dérisoire, insignifiante. Parfois, il aimait presque vivre – comme il aimait, presque, pour faire taire sa culpabilité, jouer jusqu'à l'aube et perdre tout ce que le magasin lui rapportait. Car Vicente jouait comme si jouer n'avait pas d'autre but que de perdre. Il jouait de plus en plus, et il perdait de plus en plus. Nuit après nuit, il jouait, jouait, jouait, et il perdait, perdait, perdait. Il perdait comme si de tout perdre pouvait suffire à payer ses dettes.

Rosita ne savait plus quoi faire de son mari. « Je me souviens lorsqu'on s'est rencontrés. Je me souviens de ses bras de ses mains de sa bouche. Je me souviens qu'il était tout. Je me souviens qu'il était lui et qu'il était moi et que je n'étais plus rien. Et que c'était si bon de n'être plus rien. » Rosita laissait divaguer ses souvenirs. Elle pensait à ses mains à ses yeux à sa langue qui avaient goûté tout ce qu'elle avait de savoureux dans son être. L'intimité avait été si forte. Et si douce à la fois. « Je me souviens qu'il ne pouvait jamais oublier ni mon corps ni mon âme ni mes lèvres ni mes joues ni ce qu'il appelait, mais comment il l'appelait déjà ? ah oui : la tendre porcelaine de ma peau. Il parlait tellement vite tellement bien tellement doux tellement tout. Il était là. Oui, c'est ça : il était là. Si là ! Il était lui, et il était deux, et il était dix aussi. Il était comme un fleuve ou une mer ou un torrent. Et une larme aussi. Et un caillou. Il était comme un récif au milieu du milieu de l'océan. » Rosita se souvenait et parfois ça la rendait heureuse, et ça la faisait sourire ; et souvent, beaucoup plus souvent, elle se souvenait et ça la rendait malheureuse, ça lui faisait mal, et elle pleurait désespérément. « Je l'ai aimé. Je l'ai tellement aimé. Je l'ai aimé plus que moi-même. » Rosita se souvenait des temps anciens et elle comprenait aussi, chaque fois mieux, ce qui se passait dans le présent. Elle comprenait que Vicente n'arrivait pas à se pardonner de ne pas pouvoir sauver sa mère, mais elle ne savait pas comment faire pour l'aider – ni à la sauver bien sûr, ni à se pardonner. « Je pourrais essayer de le convaincre qu'il n'y est pour rien, qu'il a fait ce qu'il a pu... Mais à quoi bon ? Je sais bien que ce n'est pas vrai, et il le sait aussi. Même s'il lui a écrit, il y a des années, qu'il fallait qu'elle quitte Varsovie, même s'il lui a écrit qu'il voulait qu'elle vienne s'installer avec nous à

Buenos Aires, il n'a jamais fait vraiment quelque chose pour que ça arrive. Il le sait. Il sait qu'il aurait fallu faire autre chose, qu'il aurait fallu faire bien plus que lui écrire. Il aurait fallu aller la chercher. Ou au moins écrire à son frère pour le convaincre de l'emmener ici. C'est ça le problème : ça ne sert à rien d'essayer de soulager sa culpabilité – tout simplement parce qu'il a raison de se sentir coupable. » Rosita songeait tous les jours à la situation dans laquelle se trouvait son mari, mais elle ne trouvait jamais de solution à son problème. Elle pensait qu'il avait eu raison de partir de Pologne, qu'il avait eu raison de s'éloigner de sa mère, de son frère, de sa sœur. Elle pensait qu'il avait eu raison de partir loin pour grandir, pour devenir un adulte – pour devenir lui-même. Mais elle savait aussi qu'il avait menti en disant à sa mère qu'il voulait qu'elle vienne vivre avec eux à Buenos Aires, comme elle savait qu'il s'était menti à lui-même en croyant qu'il les sauverait tous de la catastrophe qu'il avait pressentie en quittant l'Europe. Et ces mensonges et cette culpabilité rendaient tout dialogue impossible. Dans les rares occasions où elle avait tenté d'aborder le sujet pour essayer de le consoler, de le soulager, ça n'avait fait qu'envenimer les choses. Et lorsqu'elle avait juste essayé de l'accompagner, de partager son silence, ça avait été encore pire : la seule fois où il avait accepté sa présence silencieuse à ses côtés ces dernières semaines, alors qu'elle n'avait rien dit, alors qu'ils étaient assis sur le canapé du salon et qu'elle le serrait dans ses bras depuis un long moment en lui caressant doucement la tête, il avait fini par craquer et lui dire qu'elle ne comprenait rien, qu'elle ne pouvait rien comprendre, qu'elle ne pourrait jamais rien comprendre, que pour comprendre ce qu'il lui arrivait, il aurait fallu qu'elle éprouve la même chose que lui – mais que ce ne serait jamais le cas puisque son père et sa mère avaient réussi à fuir les pogroms et qu'ils étaient toujours là, à ses côtés, à Buenos Aires.

Un événement indépendant de sa volonté allait pourtant bouleverser la douloureuse monotonie de ces jours sombres. Un soir après le travail, quelques semaines à peine après la visite du docteur Moshé Feldsher, comme Vicente contemplait Sammy jouer seul au billard au fond du Tortoni, Ariel était entré dans le café en trombe, un immense sourire aux lèvres. On était à la fin du mois d'avril 1943 et Ariel s'était précipité vers ses amis pour leur montrer la une de *La Idea Sionista* : les habitants du ghetto de Varsovie avaient pris les armes contre les Allemands. Ariel était euphorique. Et Sammy et Vicente n'avaient pas tardé à partager son enthousiasme. Ariel avait commandé du champagne et ils avaient bu et ils avaient parlé et ils avaient quitté le Tortoni et ils étaient allés à l'hippodrome de Palermo. Et ce jour-là, pour la première fois depuis des mois, Vicente avait gagné aux courses. Il était rentré à la maison peu après le dîner, une belle liasse de billets dans la poche. Rosita l'avait regardé, stupéfaite par le sourire qui éclairait son visage.

— Qu'est-ce qui s'est passé ?

— J'ai... j'ai gagné... et... et ils se sont révoltés ! Ils se sont révoltés !!!... Tu te rends compte ? Ils ont pris les armes et il paraît qu'ils ont tué des dizaines d'Allemands !

L'euphorie avait poussé Vicente non seulement à exagérer un peu le nombre de nazis tués mais, pendant quelques minutes, à retrouver sa langue et à parler longuement à sa femme de la nouvelle qu'il avait lue dans le journal ainsi que de ce que lui avait raconté Ariel, qui en avait discuté avec son cousin qui l'avait rédigée. Un optimisme irrationnel avait envahi son cœur. Convaincu comme d'autres que l'issue du combat dans le ghetto était incertaine, Vicente, pendant deux semaines, allait recommencer à lire les journaux et à parler tous les jours. Son espoir, son optimisme, son euphorie, que Rosita avait joyeusement accueillis, étaient irrationnels et, à la fois, ils ne l'étaient pas, puisque pendant un court moment les habitants du ghetto avaient réellement réussi à résister aux soldats allemands. En fait, ayant appris que les déportations massives commencées en juillet 1942 n'étaient pas du tout destinées à des camps de travail situés plus à l'Est mais s'achevaient dans les chambres à gaz de Treblinka, deux organisations juives du ghetto, soutenues par la résistance polonaise, avaient pris les armes. Et elles étaient parvenues, dans un premier temps, à faire échouer la tentative de reprise en main du ghetto par l'armée allemande. La lutte, rue par rue, maison par maison, allait durer presque un mois. Pendant ce temps, à Buenos Aires, Vicente allait recommencer à parler, et également à s'occuper de ses enfants et à aimer sa femme. Sans autres nouvelles de sa mère que celles datant d'il y a plus de six mois transmises par le docteur Moshé Feldsher, il avait songé que son sort n'était pas encore joué, qu'il se décidait sans doute à ce moment-là, dans les rues du ghetto de Varsovie.

L'espoir avait été de courte durée. À sa seconde tentative, l'armée allemande n'avait pas seulement repris le contrôle du ghetto : la plupart des maisons avaient été rasées et les insurgés avaient été décimés. Le 12 mai 1943, Samuel Zygelbojm, qui avait été le premier à alerter l'opinion sur le massacre que les nazis perpétraient en Pologne, se suicidait à Londres en signe de protestation contre la passivité de la communauté internationale. Et le 16 mai, malgré quelques combats sporadiques qui allaient durer jusqu'au mois de juillet, Jürgen Stroop, le chef de la police et des SS du district de Varsovie, faisait exploser la Grande Synagogue pour célébrer la victoire contre l'insurrection. « La synagogue était un édifice solidement bâti et pour l'abattre il a fallu un long travail des sapeurs et des électriciens. Mais quel merveilleux spectacle ! L'officier des sapeurs m'a donné le détonateur, j'ai crié *Heil Hitler* et j'ai appuyé sur le bouton. Une immense explosion a fait monter des flammes jusqu'aux nuages. Les couleurs étaient incroyables. Une allégorie inoubliable du triomphe sur la juiverie. » C'est en ces termes, comme s'il avait été un enfant à qui on avait offert un jouet qui fait « boum », que Stroop avait raconté l'explosion. Et, effectivement, la réalité s'était réduite à ça : Stroop avait attendu que le long travail des sapeurs soit achevé, il avait appuyé sur le détonateur et ça avait fait « boum ». À la fin du printemps boréal, comme la Grande Synagogue, située en dehors du ghetto, presque toutes les maisons situées à l'intérieur du ghetto n'étaient plus qu'un vaste champ de ruines.

Wincenty chéri,

Je n'ai plus reçu aucune nouvelle de toi. Peut-être tu m'as écrit mais le courrier ne marche plus comme il marchait avant. Plus rien ne marche comme ça marchait avant. J'espère quand même que tu recevras cette lettre. Shlomo m'a dit qu'il arriverait à la faire passer de l'autre côté pour qu'on te l'envoie. On a presque tout vendu. Les meubles, les livres, les vêtements. Mais plus rien n'a la moindre valeur. Le peu qui reste, même la dernière bague que j'avais gardée, celle que ton père m'avait offerte quand on s'est connus, ne vaut plus rien maintenant. La seule chose qui a de la valeur, c'est la nourriture. Et, comme tout le monde, nous avons faim. C'est une sensation terrible. Jamais je n'aurais cru qu'on pouvait avoir faim comme ça. Hier, Berl a vu deux hommes dans la rue frapper un enfant pour quelques pommes de terre. L'enfant n'avait pas encore dix ans. Ils l'ont laissé sur le trottoir, à moitié mort.

Les soldats allemands viennent la nuit et ils entrent dans les appartements. Eux, ils tuent sans raison. Ils disent qu'ils font ce qu'on leur dit de faire. Certains sont ivres et ils viennent avec des haches. Mais la plupart ont des regards qui, avec l'hiver, sont devenus tristes comme les nôtres.

S'il te plaît, Wincenty, envoie-nous ce que tu peux. Je ne sais pas si ça arrivera jusqu'à nous, mais envoie-le-nous quand même. Savoir que tu nous as envoyé quelque chose sera presque aussi bon que de le recevoir. J'espère que Rosita et les enfants vont bien et que le magasin fonctionne.

Ta maman qui t'aime

Les premières fleurs des jacarandas commençaient déjà de colorer de leur tendre bleu violacé le ciel de Buenos Aires lorsque Vicente avait reçu cette nouvelle lettre de sa mère. Pour des raisons qu'il ne comprendrait jamais, la lettre avait mis des mois et des mois à arriver de Varsovie. Malgré la douleur, malgré l'inquiétude, malgré l'état de trouble profond dans lequel la lecture l'avait plongé, il lui avait répondu le jour même. Il lui avait dit que Rosita et les enfants se portaient bien, que tout se passait pour le mieux dans le magasin et, avec une culpabilité qu'auparavant il n'avait jamais éprouvée, il avait glissé deux billets de cinquante dollars dans l'enveloppe.

Après avoir été à la poste, Vicente était rentré chez lui. Il n'avait pas parlé à Rosita. Il ne lui avait pas dit qu'il avait reçu une nouvelle lettre. Comment aurait-il pu, comment aurait-il osé répéter à sa femme les mots désespérés de sa mère ? Ce soir-là, Vicente n'était pas sorti de la maison pour aller jouer. Il avait dîné avec Rosita et les enfants sans prononcer le moindre mot et il était allé se coucher de bonne heure. Il voulait dormir. Rien de plus. Il voulait dormir et oublier. Il rêvait d'un sommeil sans mots, sans pensées, sans images. Il rêvait d'un sommeil sans rêves. Mais il s'était endormi et il avait rêvé de nouveau ce rêve qu'il faisait si souvent depuis qu'il avait reçu la visite du docteur Moshé Feldsher. Le réveil dans son lit, le mur infranchissable qui l'encerclait, qui se resserrait jusqu'à l'étouffer... tout était pareil, sauf qu'au lieu d'apparaître dans sa main par magie, le couteau qui lui servirait à la fois à trouver un peu d'air, à respirer, et à se tuer en perçant sa propre peau, lui était tendu par sa mère qui sortait d'on ne sait où.

Encore une fois, il s'était réveillé en sursaut, hors d'haleine. Rosita était à ses côtés, la main posée sur son épaule. Encore terrifié, Vicente avait mis un instant à la reconnaître.

— Ça va ?

Comme Vicente ne répondait pas, Rosita avait fait un geste pour allumer la lampe de chevet. Mais Vicente l'avait arrêtée.

— Non, non, laisse... ça va aller.

Il lui avait pris la main et il l'avait serrée contre sa joue, Rosita avait laissé la lumière éteinte. Elle avait posé sa tête sur son oreiller en se tournant vers lui. Vicente avait gardé la main de sa femme sous sa joue et il s'était recouché en se tournant lui aussi vers elle. Leurs visages se faisant face, et la main de Rosita coincée sous la joue de Vicente, comme deux enfants un peu effrayés, ils avaient gardé les yeux ouverts dans l'obscurité. Vicente pensait à la lettre de sa mère. Il se souvenait de ses mots et il entendait sa voix calme et chantante, et un peu enrouée aussi. Il entendait la voix de sa mère très clairement, comme il ne l'avait jamais entendue depuis qu'il était parti de Varsovie.

Dans la pénombre, inquiète, Rosita le regardait fixement. Vicente avait l'air si lointain, si désemparé, si abîmé. Rosita avait essayé de lui sourire d'un sourire qui se voulait rassurant – mais qui semblait surtout désolé. Vicente, de toute façon, n'avait guère réagi à ce sourire : en fait, il l'avait à peine vu. Ses yeux, à ce moment précis, perçaient ceux de sa femme pour se perdre très loin, au-delà du lit, de la chambre, de l'appartement, de la ville, de l'océan : ses yeux, à ce moment précis, erraient sans fin dans les rues enneigées de Varsovie.

Pourtant, soudain, quittant brusquement le souvenir de sa mère et de sa ville, Vicente était revenu dans la chambre à coucher et il avait regardé sa femme. Il l'avait regardée aussi fixement qu'elle le regardait. Et profondément, et éperdument aussi. Et Rosita, remarquant ce changement brusque dans son regard, n'avait pu s'empêcher de lui demander :

— Dis-moi…

Rosita ne savait pas ce qu'elle voulait que son mari lui dise, elle n'avait aucune idée de ce qu'il pourrait lui dire, mais elle lui avait demandé, doucement, de lui parler. Vicente l'avait regardée encore en silence un long moment. Il aurait aimé lui répondre quelque chose, lui dire ce qu'il éprouvait, ce que la lettre de sa mère avait provoqué en lui, ou alors, au moins, lui dire autre chose, une toute petite partie de ce qu'il ressentait, quelques mots de ce que disait la lettre, ou même lui mentir, la rassurer par un mensonge anodin. Il aurait aimé lui répondre n'importe quoi, juste pour lui montrer qu'il l'entendait, qu'elle existait – mais il n'y était pas arrivé. Il avait déjà éprouvé ce sentiment après avoir reçu la lettre précédente de sa mère, mais ce n'est qu'après avoir reçu celle-ci qu'il a senti que non seulement il ne voulait plus parler mais qu'il ne pouvait plus le faire. Il voulait parler, mais, prisonnier du ghetto de son silence, il ne *pouvait* pas parler. Il ne savait plus.

De cette lettre – qui fut la dernière –, Vicente ne devait jamais dire un mot à sa femme, ni à ses enfants, ni à personne d'autre.

Le lendemain de cette nuit mouvementée, comme il le faisait depuis qu'il était marié plus ou moins une fois par mois, Vicente avait été déjeuner avec sa femme et les enfants chez les parents de Rosita. « La Fábrica », comme on appelait la maison où ils habitaient qui jouxtait l'atelier où on fabriquait les meubles en bois, était une de ces grosses bâtisses à un étage abritant un patio typiques de Buenos Aires ; et ce repas mensuel, ce petit festin familial, était un événement que Martha et Ercilia commençaient déjà d'attendre et de réclamer ardemment. Parents, enfants, petits-enfants... il y avait souvent au moins une vingtaine de convives. Vicente n'avait jamais vraiment apprécié ces repas familiaux, mais il y avait toujours participé avec bienveillance. Même s'il la trouvait (comme il l'avait dit une fois à Rosita pour la faire rire) « un peu plouc », il aimait sa belle-famille. Et maintenant que les enfants grandissaient, maintenant que les filles attendaient avec tant de bonheur ce moment où elles retrouvaient leurs innombrables cousins, l'événement avait, même à ses yeux, quelque chose d'inévitablement joyeux.

Avant de se mettre à table, ce vendredi-là comme chaque fois où ils venaient déjeuner depuis trois ans, le père de Rosita, Pini Szapire, que les cousins appelaient déjà du nom redondant d'« abuelo Zeide », avait demandé à Vicente des nouvelles du magasin. Il était toujours inquiet du sort de son gendre, il voulait toujours s'assurer qu'il travaillait bien, que le magasin qu'il lui avait confié prospérait – mais il aimait aussi, tout simplement, parler « meubles ».

— Alors, tu en dis quoi des nouveaux buffets en quebracho ? Tu as vu ces finitions ?

Vicente avait fait un immense effort et il avait réussi à lui répondre laconiquement, lui donnant de brèves et bonnes nouvelles : comme tous les magasins de Buenos Aires dans ces années-là, son magasin de meubles, même s'il s'en occupait de moins en moins, marchait plutôt bien.

Une fois à table, alors qu'on servait le traditionnel poulet au citron avec les pommes de terre au four et que les enfants se précipitaient pour dévorer leurs assiettes, Vicente avait retrouvé sa douleur – et son silence. « Nous avons faim. C'est une sensation terrible. Jamais je n'aurais cru qu'on pouvait avoir faim comme ça. » Vicente avait regardé les enfants, la nourriture, et il s'était souvenu des mots de la dernière lettre de sa mère, de cette lettre dont il n'avait jamais parlé à personne. Avait-elle encore faim ? Avait-elle faim et soif en ce moment même où lui et sa femme et ses enfants se régalaient en famille à Buenos Aires ? Pourquoi ? Pourquoi on lui faisait subir ça ? Pourquoi elle n'était pas là avec eux, autour de cette table, profitant, comme les parents de sa femme, de ses petits-enfants ? Vicente regardait le poulet, les enfants, les adultes, et il se torturait en se posant ces questions. Et non seulement il ne leur trouvait pas de réponse : il ne cherchait même pas à leur en trouver. À quoi bon leur chercher une réponse ? Les questions les plus simples, celles dont les réponses semblent évidentes, sont souvent les plus cruelles – elles sont les plus cruelles justement parce qu'elles n'ont aucune raison d'être posées.

Assoiffé, j'ai remarqué un beau glaçon qui pendait dehors, j'ai ouvert la fenêtre et je l'ai pris. Un gardien du camp est venu vers moi et me l'a arraché brutalement des mains.

— Warum ? lui ai-je demandé dans mon pauvre allemand.

— Hier ist kein warum, m'a-t-il répondu, et il m'a repoussé vers l'intérieur.

« Hier ist kein warum. » Ici, il n'y a pas de pourquoi. C'est bien des années plus tard que Vicente devait lire ces mots de Primo Levi, ces mots qui résument la volonté que les nazis ont eue, dans les camps, de créer un espace absolument différent, un espace où il n'y aurait pas de pourquoi.

Pendant les années sombres où, à Buenos Aires, accablé de culpabilité, Vicente avait chaque jour espéré et craint à la fois de recevoir des nouvelles de sa mère, ne trouvant aucune réponse aux mille questions qui agitaient son cœur, il s'était dit souvent qu'il y avait bien des choses qui n'avaient pas de pourquoi. Ce n'est que bien plus tard, en découvrant la réalité de ce qu'avait été la Shoah, qu'il avait compris que la différence était simple : dans la vie il y a des choses qui n'ont pas de pourquoi ; dans les camps, les nazis avaient tenu, et réussi, à ce que *rien* n'ait de pourquoi.

Vicente n'avait pas su, avant la fin de la guerre, tout ce qu'il devait savoir, brutalement, après. Mais, dès qu'il avait lu la dernière lettre de sa mère, il avait pu en soupçonner suffisamment pour ne plus vouloir en parler. Il en avait su assez pour décider de ne plus garder les yeux à demi fermés mais, au contraire, de les fermer entièrement : du jour au lendemain, il avait de nouveau cessé d'écouter la radio, de lire le journal, de suivre les conversations au café. Il avait décidé qu'il ne parlerait plus jamais de tout ça – de tout ça, ni du reste.

Et dans cette fuite immobile, dans cette quête incessante de l'ignorance, dans ce choix funeste d'une mort lente et méticuleuse, une seule chose allait lui permettre de survivre : le jeu. Les chevaux, le casino – et le poker surtout. Comme tous les soirs, le soir de ce vendredi du début de l'été austral, après qu'ils étaient rentrés du déjeuner familial, Vicente était sorti de l'appartement pour trouver une table de poker.

Pendant les deux dernières années de la guerre (et même après, pratiquement jusqu'à sa mort), le jeu allait lui permettre de survivre parce qu'il pouvait, parfois, rarement, pendant quelques heures ou quelques jours, faire semblant qu'il était très riche ; et, à l'opposé, le plus souvent, le jeu allait lui permettre de survivre parce que cela lui concédait d'être très pauvre : de tout perdre et de souffrir. Comme le silence, le jeu allait devenir sa prison, et sa punition. Quand il allait aux courses, ou quand il s'asseyait à la table de poker, ou quand il partait avec Ariel et Sammy pour le week-end au casino de Mar del Plata ou à celui de Montevideo, tout lui semblait reprendre sa place : il ne s'agissait plus de vivre, de construire peu à peu, judicieusement, il s'agissait seulement de tout jouer en un seul coup – avec l'espoir de tout perdre en un seul coup.

Rosita l'aimait assez pour l'accompagner dans cette souffrance, mais il n'a pas voulu qu'elle l'accompagne. Ses filles, qui avaient sept et neuf ans, étaient déjà assez grandes pour commencer à comprendre, mais il n'a pas voulu qu'elles comprennent. Après avoir pu imaginer le peu qu'il avait imaginé en lisant la dernière lettre de sa mère, Vicente avait préféré se taire et jouer. Sa vie, sa vraie vie, avait-il décidé, comme si elle ne méritait de devenir qu'une vieille photo oubliée sur un mur décrépit, devait rester clouée en novembre 1943. Brutalement, à ce moment-là, Vicente était devenu étranger à lui-même. Il était devenu un autre, un autre vide de sens, vide d'espoir, vide d'avenir. Ce qui avait été le plus décisif, le plus tranchant, de tout ce qui lui était arrivé et de tout ce qui pourrait lui arriver plus tard, ne lui était pas arrivé à lui. Ça aurait dû lui arriver, mais ça ne lui était pas arrivé. C'était arrivé à sa mère, à son frère, mais pas à lui. « Je ne veux plus parler. Je ne veux plus penser. Je ne veux plus. Je ne veux plus rien, plus rien de rien. Je veux me taire. Oui, me taire. Plus un mot. Plus un son. Plus rien. » Vicente avait voulu savoir, et il avait voulu ne pas savoir. Il avait voulu ne pas savoir parce qu'il avait songé que tout ce qu'il saurait serait pire que son ignorance. « Écouter ? Pourquoi écouter ? Parler ? Pourquoi parler ? Se taire. Ignorer. Se tenir le plus loin possible de tout ça. Rester en dehors du monde. J'ai quand même le droit, non ? »

Avant cette dernière lettre, Vicente avait lu les journaux. Il avait su que la situation dans le ghetto de Varsovie devenait de plus en plus difficile, il avait su que la vie des Juifs en Allemagne et dans les pays occupés par l'Allemagne devenait invivable. Il avait lu les mots effroyables de *La Nación*, du *Daily Telegraph*, du *New York Times*. Avant cette dernière lettre, Vicente avait lu les journaux en cherchant des pistes, des clés, des traces qui lui permettraient de comprendre – et en cherchant aussi, comme tout le monde, des raisons *pour ne pas comprendre*. Avant cette dernière lettre de sa mère, comme chaque être humain, Vicente avait voulu savoir et, en même temps, il avait préféré ne pas savoir.

Après cette dernière lettre, tout avait changé. Après cette dernière lettre, Vicente ne voulait plus qu'ignorer. Tout ignorer. Absolument, brutalement tout ignorer. Il voulait apprendre ce qu'est l'ignorance la plus extrême. Il voulait vivre dans l'obscurité. Il voulait non seulement ne pas savoir, mais plus encore : il voulait ne *plus* savoir. Ne plus rien savoir. Même pas ce qu'il savait déjà. Il voulait ne plus rien savoir de ce qui était déjà arrivé ni de ce qui pourrait arriver dans l'avenir. Ni à sa mère, ni à son frère – ni à sa femme, ni à ses enfants, ni à lui-même.

C'est sans doute une des caractéristiques les plus singulières de l'être humain : de même que le corps lorsqu'on lui inflige trop de souffrance ou lorsqu'il est trop affaibli s'éteint momentanément par l'évanouissement pour pouvoir, comme une simple machine, se rallumer et repartir, l'esprit aussi, lorsque la douleur et l'impuissance sont trop fortes, s'assombrit, s'assourdit, se referme pour survivre, ou plutôt pour que quelque chose survive – quelque chose qui est encore humain et qui ne l'est déjà plus, quelque chose qui est encore nous-mêmes et qui n'est déjà plus personne.

Après cette dernière lettre, Vicente avait cessé de croire. Il avait cessé de croire à tout. À sa femme, à ses enfants, à lui-même. Il avait cessé de croire que la vie était plus importante que la mort.

Et pourtant, après cette dernière lettre, comme après la fin de l'espoir né du soulèvement du ghetto de Varsovie, la vie, encore une fois, avait repris son cours. Elle avait repris son cours terriblement lent, et terriblement vide. Vicente n'avait plus goût à rien. Mais il se levait chaque jour, il allait chaque jour travailler. Chaque jour, il vivait sa vie familiale, enfermé dans le silence, et chaque nuit, il jouait. Il jouait pour se punir – et pour oublier. Même s'il n'arrivait absolument pas à oublier. Ariel lui disait souvent qu'il le fallait, qu'il n'avait pas le choix, qu'il fallait penser à autre chose, qu'il fallait qu'il sorte de cette mélancolie qui était en train de le tuer, qu'il fallait qu'il le fasse pour sa femme, pour ses enfants. Il lui disait qu'il fallait qu'il se concentre sur son travail. Qu'il fallait qu'il oublie et qu'il fallait aussi, surtout, qu'il arrête de jouer – qu'il fallait absolument qu'il cesse de tout perdre.

Vicente écoutait les conseils de son ami d'adolescence, mais il n'y répondait pas. Il savait qu'il fallait oublier, il savait qu'il fallait arrêter de jouer, il savait qu'il fallait faire cet effort pour Rosita, pour Ercilia, pour Martha, pour Juan José, mais il était absolument incapable de faire le moindre effort. La seule chose qu'il espérait parfois, les rares fois où il espérait encore, c'était de se réveiller un beau matin après une nuit de jeu qui l'aurait contraint à s'endormir si épuisé et si pauvre qu'au réveil il aurait tout oublié. Il aurait tout oublié sans s'en rendre compte, sans faire exprès, sans l'avoir voulu. Il rêvait de se réveiller un jour en se souvenant seulement qu'il avait su quelque chose qu'il ne savait plus : en se souvenant, comme il arrive souvent dans la vie de tous les jours, qu'il avait oublié quelque chose, mais sans plus savoir précisément ce qu'il avait oublié.

Mais ce réveil n'arrivait jamais. Vicente rêvait de ce matin nouveau, mais chaque matin il se réveillait et il était le même : avec ses mêmes souvenirs, avec sa même culpabilité, avec son même désir d'oublier.

Un jour pourtant, alors que Vicente ne parlait plus depuis des mois, alors qu'il n'allait plus jamais au Tortoni, alors qu'il ne faisait que travailler en silence dans le magasin (ou plutôt que faire semblant de travailler en regardant Yorgos, son employé, qui, lui, travaillait réellement), Ariel était passé avec Sammy et ils lui avaient montré divers journaux illustrés par des photos des manifestations de joie dans les rues de Paris – qui venait d'être libéré. Vicente n'avait pas vraiment réagi, il n'avait rien dit à ses amis, il n'avait marqué aucun signe particulier, ni de satisfaction ni de regret. Mais en rentrant à la maison ce soir-là, il avait été un peu plus doux que d'habitude avec Rosita, et la nuit, après avoir couché les enfants, ils avaient fait ce qu'ils ne faisaient plus depuis des mois : ils avaient fait l'amour. C'était le début du mois de septembre 1944.

Le lendemain matin, ferme et craintive à la fois, Rosita lui avait dit qu'elle avait décidé de reprendre ses études de pharmacie.

— Je sais que tu es contre. Je sais que tu ne veux pas. Mais j'en peux plus, Vicente. J'étouffe. J'étouffe dans cet appartement. Il faut que je sorte, il faut que je fasse autre chose. J'ai demandé à mon père et il va me prêter de l'argent pour qu'on prenne quelqu'un qui m'aide avec les enfants.

Rosita avait regardé son mari en attendant un mot, une réaction, une opposition. Elle pensait qu'au moins il serait furieux qu'elle eût demandé de l'argent à son père. Mais Vicente, encore une fois, n'avait rien dit.

— Que tu veuilles mourir, que tu veuilles te laisser mourir comme si le monde n'existait plus, comme si plus rien n'avait aucun intérêt, même pas les enfants, c'est ton affaire. Mais moi, je ne l'accepte pas. Je ne mourrai pas avec toi.

Rosita l'avait regardé encore. Elle avait attendu encore. Mais Vicente avait juste baissé son visage et poussé un long soupir. Et ce matin-là, comme le soleil de la fin de l'hiver caressait les rues de Buenos Aires, c'est Rosita qui avait quitté la maison pour aller se promener.

Vicente aurait pu chercher à répondre, mais il n'avait pas cherché à répondre. Il aurait pu chercher à la retenir, mais il n'avait pas cherché à la retenir. Il aurait pu chercher à comprendre pourquoi sa femme lui avait dit tout ça juste après cette nuit où l'amour avait brièvement repris le dessus sur le silence et la mort, mais il n'avait pas cherché à comprendre. Il n'avait cherché ni à répondre ni à la retenir ni à comprendre parce qu'après cette nuit d'amour, à ses yeux, de nouveau, plus rien n'avait la moindre importance. La petite joie qu'il avait éprouvée après avoir appris la libération de Paris, comme l'immense espoir qu'il avait ressenti pendant les quelques semaines qu'avait duré l'insurrection dans le ghetto de Varsovie, était due, aussi, au fait qu'il espérait encore que sa mère était en vie. Il l'espérait pour une raison aussi irrationnelle que logique : parce que personne ne lui avait encore annoncé qu'elle était morte.

— Si cela ne t'ennuie pas, je dormirai au magasin...

— Encore ?!

L'hiver austral finissait, et le printemps commençait d'égayer les rues de la ville de cris et de rires, mais Vicente se sentait de plus en plus seul. Le soir, avant de sortir de l'appartement pour aller jouer, parfois, il prévenait Rosita qu'il ne reviendrait pas à la maison.

— J'ai du mal à dormir en ce moment.

Prétextant qu'il avait besoin de calme ou qu'il aimait la fraîcheur de l'ombre du long local sombre, après le poker, il dormait de plus en plus souvent dans la réserve, au sous-sol du magasin.

Et il faisait de plus en plus souvent ce rêve qu'il avait rêvé pour la première fois après avoir reçu la visite du docteur Moshé Feldsher. Dans son rêve, maintenant, il examinait le mur qu'on avait construit autour de lui. Lorsque le mur commençait de se resserrer, il regardait les pierres, il les touchait, il sentait l'humidité qui suintait par les interstices. Il ne se déchaînait plus contre le mur, il ne le frappait plus de ses mains, de ses poings. Il le contemplait, l'inspectait, l'étudiait comme si la mort qu'il lui promettait ne le concernait pas vraiment. Mais il arrivait toujours un moment où, comme le mur s'était tant resserré que l'air venait à lui manquer, il retrouvait un couteau, ou un marteau, ou parfois même une lourde masse – et là, brutalement, il finissait toujours par le détruire.

Et toujours il se réveillait à l'instant précis où il comprenait que ce mur qui l'encerclait, qui l'étouffait, et qu'il abattait ou qu'il trouait avec rage, était sa propre peau.

La libération de Paris avait été suivie par celles de la Belgique et des Pays-Bas, puis par l'entrée des Alliés en Allemagne et par celle de l'Armée rouge à Varsovie. Mais Vicente, de nouveau, s'était désintéressé de tout ce qui se passait en Europe. Il était retourné dans sa prison : celle du silence – et du jeu.

Un samedi particulièrement sombre de la fin du mois d'octobre 1944, Vicente s'était rendu seul dans un bar particulièrement malfamé près du port. Il avait joué toute la nuit et il avait perdu toute la nuit. Il avait perdu. Et perdu. Et perdu encore. Et lorsqu'il avait tout perdu, il avait réussi, en cette nuit particulièrement sombre, dans ce bar particulièrement malfamé, à convaincre un joueur particulièrement douteux de lui prêter un peu d'argent – qu'il avait également perdu. À l'aube, on ne l'avait laissé repartir que parce que le patron le connaissait, et qu'il connaissait aussi Ariel et Sammy qui, s'il le fallait, il le savait, rembourseraient l'homme à sa place.

Vicente était remonté du port vers la ville. Après avoir traversé les voies, il avait croisé une bande de jeunes gens bruyants qui sortaient d'une fête dans un immeuble du Bajo. Ils étaient débraillés et très excités. Ils n'étaient qu'une dizaine mais ils parlaient et criaient comme s'ils avaient été une trentaine. En sortant de l'immeuble, ils avaient bousculé Vicente sans même s'en rendre compte. Leur excitation était trop grande. Concentrés les uns sur les autres, les garçons sur les filles, les filles sur les garçons, aucun membre du groupe ne s'était arrêté pour s'excuser. Personne n'avait semblé remarquer cet homme seul, pâle, défait, perdu dans la lumière tendre de l'aube. Alors qu'ils s'éloignaient sous les arcades, bavards, ivres, trébuchant et fumant, Vicente avait reconnu l'un des garçons qui avançait enlacé à une fille : c'était Franz, son jeune employé allemand. Vicente l'avait suivi longuement du regard. Il avait l'air si heureux, si insouciant. Franz ne l'avait pas vu. Il avait disparu simplement avec ses amis au coin de la rue.

Vicente était resté là un instant, troublé et incapable de chercher à comprendre son trouble. Puis il avait poursuivi son chemin. Il avait pris un café seul au comptoir du Tortoni, et il était reparti alors qu'il commençait à pleuvoir. L'avenida de Mayo était lourde et grise : les magasins fermés, les voitures, les rares passants, tout était gris, lourd et triste, à deux doigts de s'effondrer. « Il faut. Il faut. Le devoir. C'est un devoir. Il faut l'obligation. Il faut l'obligation du devoir de faire quelque chose. De faire quelque chose contre le rien que je fais. » Vicente avançait la tête baissée, les yeux plongés dans ses pieds qui se dépassaient l'un l'autre avec un rythme aussi régulier qu'inutile. Il avançait lentement sur le trottoir et l'avenue devenait interminable. Épuisé, vaincu, il avançait, et avançait encore, et autour de lui les immeubles s'effritaient et se dissolvaient sous la pluie comme des murailles de sable. « Il faut faire quelque chose contre le rien que je peux. Je peux rien. Je ne peux rien. Jamais su au juste la différence. » Semblables à des têtards, des mots sans queue s'agitaient de nouveau dans sa tête. Et il essayait de suivre leur fil qui fatalement lui échappait. « Ou alors revivre. Arrêter de perdre. Revivre, oui. Être de nouveau un homme. Un vrai. Le capitaine. Un homme qui vit. Un homme qui dit. Un ami, un mari, un père. Un… un enfant. – Être. De nouveau. Un enfant. » À ces mots, pensés si fort qu'il avait cru les entendre, Vicente avait senti que des larmes commençaient de couler sur ses joues. « L'agitation du monde. L'agitation du monde de la rue des cafés du parc des arbres du vent des enfants de l'école. La vie. C'était ça la vie. Mais la vie est partie. Elle s'est éloignée lentement. Et je ne sais plus où elle est maintenant. Je suis seul. Je n'entends plus. Mes oreilles closes comme des paupières. Le jour se lève et je sombre. Je sombre, je sais, je sombre. Et je tombe. Je tombe comme la nuit, comme le monde. Je ne sais pas d'où mais je tombe. Et je ne sais pas non plus vers où, mais je tombe. Je tombe. Lentement, je tombe. Lentement je tombe vers ma tombe. Oui. C'est ça. Et ça suffit. » En marchant, sans s'en rendre compte, Vicente était arrivé devant son magasin. Il était sept heures et quart du matin, on était dimanche, et il n'avait absolument aucune raison d'être là. Pourtant, machinalement, Vicente avait levé le rideau de fer. Pourtant, machinalement, il était entré dans le magasin. Sans savoir encore au juste ce qu'il voulait, ce qu'il cherchait, Vicente était descendu au sous-sol, dans la réserve où il avait souvent dormi. Mais cette fois-là, il n'avait pas eu un regard pour le canapé invendu qui lui avait tant de fois servi de lit. Vicente avait cherché une corde qu'il se souvenait avoir vue dans l'une des grosses caisses des canapés qu'on lui avait livrés quelques jours plus tôt. Il l'avait trouvée et il avait fait un nœud coulant. Il avait passé la corde au-dessus d'un des gros tuyaux métalliques qui longeaient le plafond et il avait pris une chaise New Style qui faisait partie d'un lot de cinquante qu'il n'avait jamais réussi à écouler. « Bras croisés, bouche fermée. Je n'en peux plus. C'est pourtant simple. Finir. M'en aller. Disparaître une bonne fois pour toutes. Mourir. Mourir doucement. Mourir doucement mais mourir enfin. Mourir d'une mort douce. Une douce mort. Ma mort. Mourir de ma douce mort à moi. » Vicente était monté sur la chaise et il avait passé la corde autour de son cou. « Oui. Oui. Que ma mort soit douce – même si je meurs. »

Vicente avait fermé les yeux et il était resté là un moment, debout sur sa chaise, sans penser. Il était resté là en silence. Dans un vrai silence. Plus aucun mot ne s'articulait dans sa tête. Il était calme, détendu. Il ne pensait même pas qu'enfin il avait arrêté de se torturer. Il ne pensait même pas qu'enfin il avait arrêté de penser. La mort, avant qu'il ne meure, avait déjà calmé cette angoisse qui l'empêchait de vivre depuis des mois. Vicente n'avait aucun doute, il n'était la victime d'aucune hésitation : il savait qu'il allait mourir. Il était là. Enfin là.

Face à sa propre mort, il était enfin lui-même – et il n'était déjà plus personne.

Un pas. Deux pas... Trois pas.

Vicente avait déjà pris son élan pour faire basculer sa chaise lorsqu'il avait entendu les pas hésitants de quelqu'un qui était entré dans le magasin. Curieux, bêtement curieux, il avait réussi à arrêter son geste. Il avait tendu l'oreille, et il avait écouté. Ce n'était pas tant qu'il voulait savoir qui cela pouvait-il bien être, mais il ne voulait surtout pas faire de bruit. La pensée absurde que quelqu'un pourrait entendre la chaise tomber sur le sol et descendre dans la réserve et contempler son cadavre le dérangeait. Cela le dérangeait comme s'il avait pu avoir honte de lui-même après sa propre mort. Alors il était resté là, sur sa chaise, immobile, aux aguets, et il avait attendu. Il n'avait guère de doute que cette personne égarée dans l'aube de Buenos Aires, cet intrus qui n'avait aucune raison d'être là, ne tarderait pas à partir. Il avait attendu patiemment, debout sur sa chaise. Il avait attendu en silence, sans faire le moindre bruit.

— Vicente ?

Vicente n'avait pu s'empêcher de sursauter en reconnaissant la voix de Rosita. « Mais… ?! Mais pourquoi ? Mais comment… ?… Mais qu'est-ce qu'elle fait là ? Ce n'est pas possible ! Ce n'est pas possible que… » Brusquement, des mots s'articulaient de nouveau dans son cerveau. Le langage était revenu, comme un flot impétueux, vivifiant – et torturant à la fois.

Vicente ne pouvait pas voir sa femme : il entendait seulement ses pas qui s'approchaient lentement de la trappe qui menait au sous-sol.

— Mi amor ?

Vicente n'avait pas répondu. Mais il s'était soudain mis à sangloter. Son cerveau était de nouveau en proie à des pensées confuses. La corde toujours autour du cou, des larmes et de la morve coulaient maintenant sur son visage. Et son cœur, rempli de honte, ne savait plus quel sort espérer.

Portant ses mains à son visage, il avait essayé d'étouffer ses sanglots. Mais Rosita l'avait déjà entendu. Et elle s'était arrêtée au bord de la trappe. Dès qu'elle avait trouvé la porte ouverte, elle avait compris qu'il était dans le magasin. Maintenant, elle attendait tout en haut de l'échelle qui menait à la réserve. Vicente pouvait distinguer clairement son ombre se dessiner sur les marches.

— Vicente ?... Je... je voulais te dire que... que je... Je voulais te dire que je suis enceinte, mon amour.

Début 1945, comme la fin de la guerre approchait, les journaux, même en Argentine, avaient commencé à parler de plus en plus du sort des Juifs en Europe. Vicente, pour ignorer ce qu'il aurait pu savoir à ce moment-là, alors que les derniers Allemands étaient chassés de Pologne, alors que les Soviétiques libéraient Auschwitz, fermait toujours les yeux de toutes ses forces. Ne voulant pas savoir, ne voulant *plus* savoir, ne voulant plus rien savoir, même ce qu'il savait déjà, il s'enfermait dans un silence de plus en plus lourd, de plus en plus compact, un silence qui, terré tout au fond de son ventre, avait commencé de grandir comme une tumeur maligne, prenant peu à peu possession de sa poitrine, de ses poumons, de sa gorge, de son crâne.

L'effort qu'il faisait pour ne pas savoir était devenu sa seule raison de vivre. Alors, lorsqu'il a su, Vicente a été dévasté. Car tout ce qu'il avait soupçonné – tout ce qu'il avait pu et tout ce qu'il *n'avait pas pu* imaginer en 1943 et 1944 – était moins horrible que ce qui était.

Avant 1945, Vicente n'avait pas voulu imaginer ce que pourraient être ces camps dont on commençait à parler. Il n'avait pas voulu se demander s'ils ressemblaient davantage à une prison, à un hôpital psychiatrique ou à un parc à bestiaux. Il n'avait pas voulu se demander si les prisonniers portaient un uniforme ou s'ils étaient nus. Il avait refusé de penser que sa mère pouvait avoir été battue à coups de crosse de fusil, traînée par les cheveux dans la boue à moitié gelée ou torturée pour lui faire avouer quelque chose qu'elle ignorait. Vicente avait refusé de mettre des images sur cette réalité, sur cette réalité que personne encore ne semblait avoir réellement vue – et que ceux qui disaient l'avoir vue n'arrivaient pas à comprendre, et que ceux qui disaient l'avoir comprise n'arrivaient pas à expliquer.

Vicente n'avait pas voulu savoir. Il n'avait pas voulu imaginer. Mais, en 1945, peu à peu, malgré lui, comme tout le monde, il a commencé à savoir – et il n'a pas pu s'empêcher d'imaginer. Peu à peu, il s'est demandé ce qu'avait senti sa mère enfermée derrière les murs du ghetto. Il s'est demandé comment elle avait regardé les rues surpeuplées, les mendiants, les enfants malades. Il s'est demandé comment elle avait supporté le froid, la faim. Il s'est demandé comment elle avait pu vivre sans savoir ce qui allait lui arriver puis, pire encore, *en sachant*. Il s'est demandé, en pleurant de rage et de désespoir, comment elle avait vécu la déportation, comment elle avait voyagé enfermée dans ce train, comment elle avait marché dans ce couloir, comment elle avait réagi en recevant l'ordre de se dévêtir, comment elle s'était dévêtue.

Peu à peu, en luttant pour ne pas savoir, en luttant pour ne pas imaginer, Vicente allait vivre une autre horreur que celle, *finalement brève*, de Treblinka : l'horreur d'une vie coupable, d'une vie où la culpabilité le rongerait jour après jour, l'horreur d'avoir fui, d'avoir abandonné sa mère, l'horreur d'avoir manqué à sa destinée, l'horreur de n'avoir pas été là où il fallait – fût-ce, seulement, pour mourir avec elle.

« Est-ce qu'elle a pleuré lorsqu'on l'a traînée hors de chez elle ? Est-ce qu'elle a hurlé ? Qu'est-ce qu'elle a fait lorsqu'on l'a enfermée dans le train ? Qu'est-ce qu'elle a songé quand on lui a demandé de se déshabiller ? Qu'est-ce qu'elle a dit ? Qu'est-ce qu'elle a senti ? Qu'est-ce qu'elle a pensé ? Avait-elle encore la force de parler ? De sentir ? De penser ? » Vicente avait essayé par tous les moyens de ne pas savoir et de ne pas imaginer, mais peu à peu il avait su et des images confuses et terrifiantes à la fois s'étaient imposées à son esprit. Des images froides et tremblantes qui peu à peu allaient devenir une seule image, une seule image à laquelle il ne pourrait plus échapper, une image qu'il verrait toujours, dès qu'il fermerait les yeux, dès qu'il les rouvrirait :

celle du corps nu de sa mère tel qu'il ne l'avait jamais vu, tel qu'il aurait voulu ne jamais le voir, celle de son corps misérable, usé par la vieillesse et la peur, perdu au milieu d'une multitude d'autres corps tout aussi misérables, celle de son corps les mains tendues en avant comme pour se protéger, celle de son corps et de ses jambes grêles, entraînées par des dizaines, des centaines, des milliers d'autres jambes tout aussi maigres – celle du corps nu de sa mère perdu parmi une infinité de corps fragiles, squelettiques, précipités par des coups de crosse vers des douches. Oui, s'il est une image que Vicente aurait voulu ne jamais imaginer, et qu'il n'avait plus jamais cessé d'imaginer à partir du moment où il avait lu les premières descriptions des camps, c'est celle de sa mère nue, éreintée, exténuée, alors qu'elle entrait dans ces douches qui n'étaient pas des douches.

Pendant la grossesse de Rosita, Vicente n'avait pu éviter d'apprendre de plus en plus de choses sur ce qui s'était passé en Europe. Mais il avait continué de se taire. Jamais il n'allait parler à personne de la dernière lettre de sa mère. Ni de sa mort. Jamais il ne devait dire à Rosita ni à ses enfants, même plus tard, lorsqu'ils seraient grands, quand et comment sa mère était morte, quand et comment son frère était mort. Jamais Vicente ne voudrait partager sa peine pour la soulager, jamais il ne voudrait que sa famille vive dans la cruauté inutile de la mémoire.

Vicente avait été un homme installé : quarante ans, marié, deux filles et un fils, des amis, un magasin qui marchait, une ville qui ne lui était plus étrangère. Il avait été un homme comme plein d'autres hommes, heureux et malheureux, chanceux et malchanceux, vif, fatigué, présent, absent, souvent insouciant, parfois passionné, rarement indifférent. Il avait été un homme comme tant d'autres hommes, et soudain, sans que rien n'arrive là où il se trouvait, sans que rien ne change dans sa vie de tous les jours, tout avait changé. Il était devenu un fugitif, un traître. Un lâche. Il était devenu celui qui n'était pas là où il aurait dû être, celui qui avait fui, celui qui vivait alors que les siens mouraient. Et à partir de ce moment-là, il a préféré vivre comme un fantôme, silencieux et solitaire.

Pendant l'été 1945, Vicente avait accepté de retourner avec ses enfants à Mar del Plata, où les parents de Rosita les avaient invités. Il avait essayé de participer à la joie des enfants lorsqu'ils étaient à la plage. Il avait essayé de se tenir loin du casino. Il avait essayé de montrer un peu de gratitude à ses beaux-parents. Et, toujours sans prononcer le moindre mot, il avait essayé de montrer des signes de tendresse à sa femme qui était enceinte de quatre mois.

Puis il était revenu avec sa famille à Buenos Aires. Et, encore une fois, la vie avait repris son cours. Vicente avait recommencé à travailler et les enfants étaient retournés à l'école. Rosita n'avait pas repris les études de pharmacie comme elle l'avait décidé. En mars 1944, lorsque Juan José avait commencé d'aller à l'école primaire, la vie à la maison était déjà si compliquée, et Vicente était déjà tellement incapable de s'occuper des enfants, qu'elle s'était dit qu'elle le ferait l'année suivante. Mais l'année suivante, elle était tombée enceinte. Et ce rêve de reprendre ses études était resté dans un tiroir d'où il ne devait plus jamais sortir.

Peu après la rentrée des classes, le 27 mars 1945, aussi ridicule que cela puisse paraître, l'Argentine avait déclaré la guerre à l'Allemagne. Vicente n'était plus du tout le jeune dandy qu'il avait été. C'était un homme affaibli, terriblement affaibli. Il avait perdu pratiquement tous ses cheveux, et son crâne chauve semblait constamment lui peser. Ses yeux, qui avaient été verts, avaient changé de couleur, et étaient à présent gris et aqueux. En quatre ans, de jeune homme plein de grâce, Vicente était devenu un vieux père de famille. Sammy et Ariel ne lui disaient rien. Mais lorsqu'ils parlaient entre eux, ils se demandaient souvent comment Vicente avait fait pour vieillir de tant d'années en à peine quatre ans. Cela ne les empêchait pas d'aimer leur ami comme ils l'avaient toujours aimé. Tous trois se retrouvaient de nouveau au Tortoni en fin de journée et ils allaient encore de temps en temps, ensemble, à l'hippodrome, où la chance tournait facilement. Mais Sammy et Ariel évitaient d'accompagner

Vicente jouer au poker – où, quoi qu'il arrive, il se débrouillait toujours pour perdre tout ce qu'il avait pu gagner auparavant.

Le soir du 8 mai 1945, comme il pleuvait sur Buenos Aires et que les enfants étaient déjà couchés, l'émission de radiothéâtre que Rosita écoutait dans la cuisine avait été interrompue et on avait annoncé que l'armistice venait d'être signé. Ercilia avait dix ans, Martha avait huit ans, Juan José avait sept ans. Et Rosita était enceinte de huit mois. Vicente ne parlait plus à personne depuis des semaines et des semaines. Ni à Sammy, ni à Ariel, ni à sa femme, ni à ses enfants.

Du salon où il faisait semblant de lire un livre assis sur le canapé, Vicente n'avait pu s'empêcher d'entendre la nouvelle. Il avait écouté la radio un instant, jusqu'à ce que le flash d'infos s'arrête et que la pièce de radiothéâtre reprenne, puis il avait posé son livre et il s'était levé. Il était allé dans la cuisine, il s'était approché de sa femme et il avait posé doucement sa main sur son ventre.

— Mi Rusita…

Étonnée par ces mots, par ces premiers mots prononcés par son mari depuis des mois, Rosita avait regardé Vicente un long moment en silence.

— Oui, mon amour ?

— Si c'est une fille, elle s'appellera Victoire.

Rosita avait mis sa main sur celle de son mari et, des larmes aux yeux, elle avait acquiescé.

Victoire est née le 17 juin 1945.

1945.

Dix-sept ans plus tard, Ercilia est tombée enceinte et je suis né à mon tour. Martha est devenue ma tante, Juanjo est devenu mon oncle – et Vicente et Rosita sont devenus mes grands-parents.

Victoire est devenue ma plus jeune tante, celle à qui, six ans plus tard, comme elle était partie vivre à Londres, j'écrirais ma première lettre.

Je ne sais pas à quel moment exactement Vicente a su que sa mère avait été déportée à Treblinka II, ce camp où il n'avait jamais été question de travail, où personne ne mourait de fatigue, d'épuisement, de faim ; ce camp qui avait été le plus efficace de tous, ce camp qui avait été une implacable machine destinée à tuer le plus grand nombre possible le plus rapidement possible – ce camp où, en un an, les nazis avaient réussi à éliminer près d'un million de personnes. Mais je sais qu'il l'a su. Comme il a su que les nazis avaient pris le fils de Berl lorsqu'il était âgé de cinq ans et l'avaient déporté à Auschwitz. Et comme il a su que son frère et sa femme, malgré la douleur, avaient continué de travailler jusqu'au soulèvement du ghetto, auquel ils avaient participé, et à la suite duquel ils étaient morts.

« J'ai reçu ta lettre avec la photo de Rosita et du bébé et ça m'a fait grand plaisir. Je suis si heureuse de ton bonheur et de votre amour et de la beauté de votre petite fille. » « Ça fait longtemps que je ne t'ai pas écrit. J'ai été malade, si malade que j'ai perdu la mémoire, et je ne pouvais plus écrire. » « Je voudrais te demander, si c'est possible, de m'envoyer un colis avec des vêtements chauds, pull-overs en laine, bas, gants, souliers pointure 37, larges, avec des talons bas. Chez nous rien de nouveau. Nous sommes en bonne santé. La vie est pénible. La mort est partout. »

J'ai lu beaucoup de lettres écrites par Gustawa Goldwag, mon arrière-grand-mère, mais, bien sûr, je ne l'ai pas connue. En 1997, la première et seule fois où j'ai visité les ruines touristiques d'Auschwitz, je lui ai écrit un poème. Un poème qui n'est pas très bon.

Et je ne peux pas dire non plus que j'ai très bien connu Vicente et Rosita : mon grand-père est mort au mois d'août 1969, quand j'avais sept ans ; ma grand-mère au mois de mars 1980, quand j'en avais dix-huit.

Je ne sais pas si Vicente, avant de mourir, a compris que se taire n'était pas une solution. Je ne sais pas ce qu'il pensait au juste de la Shoah, cet événement qui, après n'avoir pas eu de nom, n'en a eu que trop. Je ne sais pas s'il a songé que choisir le nom de « Shoah » est une manière d'affirmer que ce qui s'est passé n'a jamais eu et n'aura jamais d'équivalent, que c'est un événement incomparable, d'une portée inégalable – que c'est un impensable. Je ne sais pas si, épuisé par son propre silence, il a songé, comme je songe à présent, que pour ne pas être complices de la tentative d'assassinat du langage des nazis, cet impensable, il nous faut pourtant, absolument, le penser.

Adorno a dit qu'écrire un poème après la Shoah, c'était *barbare* – avant de revenir sur cette affirmation pour écrire encore. Est-ce que la Shoah *a une qualité définitive* ? Je trouve difficile de dire de quoi que ce soit que ça a une qualité « définitive ». J'aime mieux penser, comme Pythagore, comme Borges, que les choses reviennent cycliquement. L'antisémitisme a fait fuir d'Europe mes aïeuls. Les dictatures latino-américaines m'ont fait fuir avec mes parents l'Argentine puis l'Uruguay – pour retourner en Europe. J'ai dû quitter mon pays, ma langue maternelle, et mes amis. Comme mon grand-père, j'ai trahi : je n'ai pas été là où j'aurais dû être. Mais je ne me plains pas. Ça a été ma vie. La seule que j'ai vécue. Et puis j'aime que cette fuite ait été, aussi, un retour. J'ai retrouvé des choses que mes grands-parents avaient connues, et d'autres qu'ils avaient ignorées. J'ai appris que le monde était vaste, et les langues multiples. J'ai un peu oublié l'espagnol, j'ai appris le français. Et si je n'ai jamais beaucoup aimé vivre en France, je ne veux pas non plus mentir : j'aime écrire en français.

Le fils aîné de Martha, Martín Caparrós, que dans la famille on a toujours appelé Mopi, en racontant quelques années avant moi la vie de Vicente Rosenberg, notre grand-père, a écrit ceci : *La Shoah fait partie de notre histoire générale : elle définit d'une manière intolérable le concept de l'humain. Pendant des années, j'ai connu cette histoire de loin : j'ai vu des films et des photos, j'ai lu des études et des récits, j'ai été horrifié, je me suis posé des questions sans réponse. Puis j'ai compris que mon arrière-grand-mère était morte là-bas et que cette histoire était aussi mon histoire : l'histoire de mon sang.*

Est-ce qu'on charrie vraiment, dans ce liquide qui nous fait vivre, ou qui nous tue, des histoires qui peuvent se dire par des mots ? J'ai souvent affirmé, en écrivant, que j'écrivais seulement pour survivre à mon passé. J'ai souvent écrit que l'oubli était plus important que la mémoire. J'ai souvent songé, comme Pasolini, que celui qui oublie jouit plus que celui qui se souvient. Aujourd'hui pourtant, alors que le soir tombe sur Paris, alors que le soleil colore le couchant du même sang et du même miel que le ciel de Buenos Aires il y a soixante-dix ans, alors qu'épuisé d'avoir éclairé une journée de plus de cette espèce toujours humaine et toujours barbare il darde ses derniers rayons sur les fenêtres de mon bureau, moi qui n'ai jamais aimé ni la mémoire ni le sang, j'ai envie de dire que Mopi a raison. J'ai envie de penser que le même sang coule dans ses veines et dans les miennes ; et dans celles de mon frère, et dans celles de mes autres cousins, Gonzalo et Miguel, qui sont comme mes frères, et dans celles de mes cousines, Lila, Manuela et Natasha, que j'aime et avec qui j'ai aussi grandi. Et aussi dans celles d'Ariel, le fils de Juanjo, que j'ai perdu de vue. J'aime penser, comme je vieillis, que quelque chose de mon passé vit en moi – de même que quelque chose de moi, j'espère, vivra dans mes enfants.

J'aime penser que Vicente et Rosita vivent en moi, et qu'ils vivront toujours lorsque moi-même je ne vivrai plus – qu'ils vivront dans le souvenir de mes enfants qui ne les ont jamais connus, et dans ces mots que, grâce à mon cousin aîné, j'ai pu leur adresser.

DU MÊME AUTEUR

Aux Éditions P.O.L

UNE ENFANCE LACONIQUE, 1998.

UNE JEUNESSE APHONE, 2000.

UNE ADOLESCENCE TACITURNE, 2002.

LE PREMIER AMOUR, 2004 (Folio n° 4466).

1978, 2009.

LA PREMIÈRE DÉFAITE, 2012.

DES JOURS QUE JE N'AI PAS OUBLIÉS, 2014 (Folio n° 5921).

MES DERNIERS MOTS, 2015. Réédition #formatpoche, 2020.

LES PREMIÈRES FOIS, 2016.

LE GHETTO INTÉRIEUR, 2019 (Folio n° 6893). Choix Goncourt de la Roumanie, choix Goncourt de la Belgique, choix Goncourt de l'Italie, prix des libraires de Nancy, prix de la Renaissance française et Grand Prix SGDL de la fiction.

Aux Éditions Gallimard

Dans la collection Écoutez lire

LE GHETTO INTÉRIEUR (1 CD).

Aux Éditions Stock

IL Y A UN SEUL AMOUR, 2020.

COLLECTION FOLIO

Dernières parutions

6761. Mathieu Riboulet	*Le corps des anges*
6762. Simone de Beauvoir	*Pyrrhus et Cinéas*
6763. Dōgen	*La présence au monde*
6764. Virginia Woolf	*Un lieu à soi*
6765. Benoît Duteurtre	*En marche !*
6766. François Bégaudeau	*En guerre*
6767. Anne-Laure Bondoux	*L'aube sera grandiose*
6768. Didier Daeninckx	*Artana ! Artana !*
6769. Jachy Durand	*Les recettes de la vie*
6770. Laura Kasischke	*En un monde parfait*
6771. Maylis de Kerangal	*Un monde à portée de main*
6772. Nathalie Kuperman	*Je suis le genre de fille*
6773. Jean-Marie Laclavetine	*Une amie de la famille*
6774. Alice McDermott	*La neuvième heure*
6775. Ota Pavel	*Comment j'ai rencontré les poissons*
6776. Ryoko Sekiguchi	*Nagori. La nostalgie de la saison qui vient de nous quitter*
6777. Philippe Sollers	*Le Nouveau*
6778. Annie Ernaux	*Hôtel Casanova* et autres textes brefs
6779. Victor Hugo	*Les Fleurs*
6780. Collectif	*Notre-Dame des écrivains. Raconter et rêver la cathédrale du Moyen Âge à demain*
6781. Carole Fives	*Tenir jusqu'à l'aube*
6782. Esi Edugyan	*Washington Black*
6784. Emmanuelle Bayamack-Tam	*Arcadie*
6785. Pierre Guyotat	*Idiotie*
6786. François Garde	*Marcher à Kerguelen.*

6787. Cédric Gras	*Saisons du voyage.*
6788. Paolo Rumiz	*La légende des montagnes qui naviguent.*
6789. Jean-Paul Kauffmann	*Venise à double tour*
6790. Kim Leine	*Les prophètes du fjord de l'Éternité*
6791. Jean-Christophe Rufin	*Les sept mariages d'Edgar et Ludmilla*
6792. Boualem Sansal	*Le train d'Erlingen ou La métamorphose de Dieu*
6793. Lou Andreas-Salomé	*Ce qui découle du fait que ce n'est pas la femme qui a tué le père* et autres textes psychanalytiques
6794. Sénèque	*De la vie heureuse* précédé de *De la brièveté de la vie*
6795. Famille Brontë	*Lettres choisies*
6796. Stéphanie Bodet	*À la verticale de soi*
6797. Guy de Maupassant	*Les Dimanches d'un bourgeois de Paris* et autres nouvelles
6798. Chimamanda Ngozi Adichie	*Nous sommes tous des féministes* suivi du *Danger de l'histoire unique*
6799. Antoine Bello	*Scherbius (et moi)*
6800. David Foenkinos	*Deux sœurs*
6801. Sophie Chauveau	*Picasso, le Minotaure. 1881-1973*
6802. Abubakar Adam Ibrahim	*La saison des fleurs de flamme*
6803. Pierre Jourde	*Le voyage du canapé-lit*
6804. Karl Ove Knausgaard	*Comme il pleut sur la ville. Mon combat - Livre V*
6805. Sarah Marty	*Soixante jours*
6806. Guillaume Meurice	*Cosme*
6807. Mona Ozouf	*L'autre George. À la rencontre de l'autre George Eliot*
6808. Laurine Roux	*Une immense sensation de calme*

6809. Roberto Saviano	*Piranhas*
6810. Roberto Saviano	*Baiser féroce*
6811. Patti Smith	*Dévotion*
6812. Ray Bradbury	*La fusée* et autres nouvelles
6813. Albert Cossery	*Les affamés ne rêvent que de pain*
6814. Georges Rodenbach	*Bruges-la-Morte*
6815. Margaret Mitchell	*Autant en emporte le vent I*
6816. Margaret Mitchell	*Autant en emporte le vent II*
6817. George Eliot	*Felix Holt, le radical.* À paraître
6818. Goethe	*Les Années de voyage de Wilhelm Meister*
6819. Meryem Alaoui	*La vérité sort de la bouche du cheval*
6820. Unamuno	*Contes*
6821. Leïla Bouherrafa	*La dédicace.*
6822. Philippe Djian	*Les inéquitables*
6823. Carlos Fuentes	*La frontière de verre.* Roman en neuf récits
6824. Carlos Fuentes	*Les années avec Laura Díaz.* Nouvelle édition augmentée
6825. Paula Jacques	*Plutôt la fin du monde qu'une écorchure à mon doigt.*
6826. Pascal Quignard	*L'enfant d'Ingolstadt. Dernier royaume X*
6827. Raphaël Rupert	*Anatomie de l'amant de ma femme*
6828. Bernhard Schlink	*Olga*
6829. Marie Sizun	*Les sœurs aux yeux bleus*
6830. Graham Swift	*De l'Angleterre et des Anglais*
6831. Alexandre Dumas	*Le Comte de Monte-Cristo*
6832. Villon	*Œuvres complètes*
6833. Vénus Khoury-Ghata	*Marina Tsvétaïéva, mourir à Elabouga*
6834. Élisa Shua Dusapin	*Les billes du Pachinko*
6835. Yannick Haenel	*La solitude Caravage*

6836. Alexis Jenni	*Féroces infirmes*
6837. Isabelle Mayault	*Une longue nuit mexicaine*
6838. Scholastique Mukasonga	*Un si beau diplôme !*
6839. Jean d'Ormesson	*Et moi, je vis toujours*
6840. Orhan Pamuk	*La femme aux cheveux roux*
6841. Joseph Ponthus	*À la ligne. Feuillets d'usine*
6842. Ron Rash	*Un silence brutal*
6843. Ron Rash	*Serena*
6844. Bénédicte Belpois	*Suiza*
6845. Erri De Luca	*Le tour de l'oie*
6846. Arthur H	*Fugues*
6847. Francesca Melandri	*Tous, sauf moi*
6848. Eshkol Nevo	*Trois étages*
6849. Daniel Pennac	*Mon frère*
6850. Maria Pourchet	*Les impatients*
6851. Atiq Rahimi	*Les porteurs d'eau*
6852. Jean Rolin	*Crac*
6853. Dai Sijie	*L'Évangile selon Yong Sheng*
6854. Sawako Ariyoshi	*Le crépuscule de Shigezo*
6855. Alexandre Dumas	*Les Compagnons de Jéhu*
6856. Bertrand Belin	*Grands carnivores*
6857. Christian Bobin	*La nuit du cœur*
6858. Dave Eggers	*Les héros de la Frontière*
6859. Dave Eggers	*Le Capitaine et la Gloire*
6860. Emmanuelle Lambert	*Giono, furioso*
6861. Danièle Sallenave	*L'églantine et le muguet*
6862. Martin Winckler	*L'École des soignantes*
6863. Zéno Bianu	*Petit éloge du bleu*
6864. Collectif	*Anthologie de la littérature grecque. De Troie à Byzance*
6865. Italo Calvino	*Monsieur Palomar*
6866. Auguste de Villiers de l'Isle-Adam	*Histoires insolites*
6867. Tahar Ben Jelloun	*L'insomniaque*
6868. Dominique Bona	*Mes vies secrètes*
6869. Arnaud Cathrine	*J'entends des regards que vous croyez muets*
6870. Élisabeth Filhol	*Doggerland*

6871. Lisa Halliday	*Asymétrie*
6872. Bruno Le Maire	*Paul. Une amitié*
6873. Nathalie Léger	*La robe blanche*
6874. Gilles Leroy	*Le diable emporte le fils rebelle*
6875. Jacques Ferrandez / Jean Giono	*Le chant du monde*
6876. Kazuo Ishiguro	*2 nouvelles musicales*
6877. Collectif	*Fioretti. Légendes de saint François d'Assise*
6878. Herta Müller	*La convocation*
6879. Giosuè Calaciura	*Borgo Vecchio*
6880. Marc Dugain	*Intérieur jour*
6881. Marc Dugain	*Transparence*
6882. Elena Ferrante	*Frantumaglia. L'écriture et ma vie*
6883. Lilia Hassaine	*L'œil du paon*
6884. Jon McGregor	*Réservoir 13*
6885. Caroline Lamarche	*Nous sommes à la lisière*
6886. Isabelle Sorente	*Le complexe de la sorcière*
6887. Karine Tuil	*Les choses humaines*
6888. Ovide	*Pénélope à Ulysse* et autres lettres d'amour de grandes héroïnes antiques
6889. Louis Pergaud	*La tragique aventure de Goupil* et autres contes animaliers
6890. Rainer Maria Rilke	*Notes sur la mélodie des choses* et autres textes
6891. George Orwell	*Mil neuf cent quatre-vingt-quatre*
6892. Jacques Casanova	*Histoire de ma vie*
6893. Santiago H. Amigorena	*Le ghetto intérieur*
6894. Dominique Barbéris	*Un dimanche à Ville-d'Avray*
6895. Alessandro Baricco	*The Game*
6896. Joffrine Donnadieu	*Une histoire de France*
6897. Marie Nimier	*Les confidences*
6898. Sylvain Ouillon	*Les jours*
6899. Ludmila Oulitskaïa	*Médée et ses enfants*
6900. Antoine Wauters	*Pense aux pierres sous tes pas*

6901. Franz-Olivier Giesbert	*Le schmock*
6902. Élisée Reclus	*La source* et autres histoires d'un ruisseau
6903. Simone Weil	*Étude pour une déclaration des obligations envers l'être humain* et autres textes
6904. Aurélien Bellanger	*Le continent de la douceur*
6905. Jean-Philippe Blondel	*La grande escapade*
6906. Astrid Éliard	*La dernière fois que j'ai vu Adèle*
6907. Lian Hearn	*Shikanoko, livres I et II*
6908. Lian Hearn	*Shikanoko, livres III et IV*
6909. Roy Jacobsen	*Mer blanche*
6910. Luc Lang	*La tentation*
6911. Jean-Baptiste Naudet	*La blessure*
6912. Erik Orsenna	*Briser en nous la mer gelée*
6913. Sylvain Prudhomme	*Par les routes*
6914. Vincent Raynaud	*Au tournant de la nuit*
6915. Kazuki Sakuraba	*La légende des filles rouges*
6916. Philippe Sollers	*Désir*
6917. Charles Baudelaire	*De l'essence du rire* et autres textes
6918. Marguerite Duras	*Madame Dodin*
6919. Madame de Genlis	*Mademoiselle de Clermont*
6920. Collectif	*La Commune des écrivains. Paris, 1871 : vivre et écrire l'insurrection*
6921. Jonathan Coe	*Le cœur de l'Angleterre*
6922. Yoann Barbereau	*Dans les geôles de Sibérie*
6923. Raphaël Confiant	*Grand café Martinique*
6924. Jérôme Garcin	*Le dernier hiver du Cid*
6925. Arnaud de La Grange	*Le huitième soir*
6926. Javier Marías	*Berta Isla*
6927. Fiona Mozley	*Elmet*
6928. Philip Pullman	*La Belle Sauvage. La trilogie de la Poussière, I*
6929. Jean-Christophe Rufin	*Les trois femmes du Consul. Les énigmes d'Aurel le Consul*

6930. Collectif	*Haikus de printemps et d'été*
6931. Épicure	*Lettre à Ménécée* et autres textes
6932. Marcel Proust	*Le Mystérieux Correspondant* et autres nouvelles retrouvées
6933. Nelly Alard	*La vie que tu t'étais imaginée*
6934. Sophie Chauveau	*La fabrique des pervers*
6935. Cecil Scott Forester	*L'heureux retour*
6936. Cecil Scott Forester	*Un vaisseau de ligne*
6937. Cecil Scott Forester	*Pavillon haut*
6938. Pam Jenoff	*La parade des enfants perdus*
6939. Maylis de Kerangal	*Ni fleurs ni couronnes* suivi de *Sous la cendre*
6940. Michèle Lesbre	*Rendez-vous à Parme*
6941. Akira Mizubayashi	*Âme brisée*
6942. Arto Paasilinna	*Adam & Eve*
6943. Leïla Slimani	*Le pays des autres*
6944. Zadie Smith	*Indices*
6945. Cesare Pavese	*La plage*
6946. Rabindranath Tagore	*À quatre voix*
6947. Jean de La Fontaine	*Les Amours de Psyché et de Cupidon* précédé d'*Adonis* et du *Songe de Vaux*
6948. Bartabas	*D'un cheval l'autre*
6949. Tonino Benacquista	*Toutes les histoires d'amour ont été racontées, sauf une*
6950. François Cavanna	*Crève, Ducon !*
6951. René Frégni	*Dernier arrêt avant l'automne*
6952. Violaine Huisman	*Rose désert*
6953. Alexandre Labruffe	*Chroniques d'une station-service*
6954. Franck Maubert	*Avec Bacon*
6955. Claire Messud	*Avant le bouleversement du monde*
6956. Olivier Rolin	*Extérieur monde*
6957. Karina Sainz Borgo	*La fille de l'Espagnole*
6958. Julie Wolkenstein	*Et toujours en été*
6959. James Fenimore Cooper	*Le Corsaire Rouge*

Composition Igs
Impression Maury Imprimeur
45330 Malesherbes
le 4 novembre 2021
Dépôt légal : novembre 2021
1er dépôt légal dans la collection : janvier 2021
Numéro d'imprimeur : 258507

ISBN 978-2-07-292146-9 / Imprimé en France.